coleção primeiros passos 13

Marilena Chauí

O QUE É
IDEOLOGIA

2ª edição, 2001

São Paulo

editora brasiliense

Copyright © by Marilena de Souza Chauí, 1980.
Nenhuma parte desta publicação pode ser gravada, armazenada em sistemas eletrônicos, fotocopiada, reproduzida por meios mecânicos ou outros quaisquer sem autorização prévia da editora.

Primeira edição, 1980
2ª edição, 2001
17ª reimpressão, 2016

Diretora Editorial: *Maria Teresa B. de Lima*
Editor: *Max Welcman*
Produção Gráfica: *Laidi Alberti*
Diagramação: *Adriana F. B. Zerbinati*
Ilustrações: *Joji Kussunoki*
Caricatura: *Emílio Damiani*
Capa: *Otávio Roth e Felipe Doctors*

Dados Internacionais de catalogação na Publicação(CIP) (Câmara Brasileira do Livro, SP, Brasil)

Chauí, Marilena
O que é ideologia / Marilena Chauí -- São Paulo : Brasiliense, 2012. -- (Coleção Primeiros Passos ; 13)
17ª reimpr. da 2ª ed. de 2001. ISBN 978-85-11-01013-8
1. Ideologia 2. Ideologia - História I. Título II. Série.

08-05957   CDD - 306.4

Índices para catálogo sistemático :
1. Ideologia: Sociologia   306.4

editora brasiliense ltda.
Rua Antônio de Barros, 1720 – Tatuapé
Cep 03401-001 – São Paulo – SP
Fone: (11) 3062.2700
www.editorabrasiliense.com.br

SUMÁRIO

I - Começando nossa conversa 7

II - Partindo de alguns exemplos 8

III - História do termo 27

IV - A concepção marxista de ideologia 38

V - A ideologia da competência 123

Sobre a autora 145

para Zé Gui e para Ci

COMEÇANDO NOSSA CONVERSA

Frequentemente, ouvimos expressões do tipo "partido político ideológico", é preciso ter uma "ideologia", "falsidade ideológica".

Essas expressões tomam a palavra ideologia para com ela significar "conjunto sistemático e encadeado de ideias". Ou seja, confundem ideologia com ideário.

Nossa tarefa, aqui, será desfazer a suposição de que a ideologia é um ideário qualquer ou qualquer conjunto encadeado de ideias e, ao contrário, mostrar que a ideologia é um ideário histórico, social e político que oculta a realidade, e esse ocultamento é uma forma de assegurar e manter a exploração econômica, a desigualdade social e a dominação política.

PARTINDO DE ALGUNS EXEMPLOS

Uma das preocupações principais do pensamento ocidental nasce com a filosofia, na Grécia antiga: por que as coisas permanecem e por que as coisas mudam e desaparecem? Em outras palavras, quais as causas do aparecimento, da permanência, da mudança e do desaparecimento das coisas? Ou, como diziam os gregos, por que as coisas se movem? Por movimento, os gregos entendiam:

1) toda mudança qualitativa de um corpo qualquer (por exemplo, uma semente que se torna árvore, um objeto branco que amarelece, um animal que adoece etc.);

2) toda mudança quantitativa de um corpo qualquer (por exemplo, um corpo que aumenta de volume ou diminui, um corpo que se divide em outros menores etc.);

3) toda mudança de lugar ou locomoção de um corpo qualquer (por exemplo, a trajetória de uma flecha, o deslocamento de um barco, a queda de uma pedra, o levitar de uma pluma etc.);

4) toda geração e corrupção dos corpos, isto é, o nascimento e o perecimento das coisas e dos homens.

Movimento, portanto, significa para um grego toda e qualquer alteração de uma realidade, seja ela qual for.

O filósofo Aristóteles afirmou que só há conhecimento da realidade (portanto, da permanência e do movimento dos seres) quando há conhecimento da causa — "conhecer é conhecer pela causa". Para tornar possível o conhecimento, elaborou então uma teoria da causalidade que ficou conhecida como teoria das quatro causas.

Uma causa é o que responde ou se responsabiliza por algum aspecto da realidade, e as quatro causas são responsáveis por todos os aspectos de um ser. Haveria, assim, a causa material (responsável pela matéria de alguma coisa), a causa formal (responsável pela essência ou natureza da coisa), a causa motriz ou eficiente (responsável pela presença de uma forma em uma matéria) e a causa final (responsável pelo motivo e pelo sentido da existência da coisa).

Tomemos uma coisa qualquer, por exemplo, uma mesa de madeira. Diremos que a causa material da mesa é a madeira; a causa formal é o que faz esse pedaço de madeira ser uma mesa (ter as propriedades e características de uma mesa, e não de outra coisa); a causa motriz ou eficiente é o artesão, que coloca na madeira a forma da mesa; a causa final é o uso da mesa, o motivo ou a razão pela qual ela foi fabricada.

As quatro causas permitem explicar a permanência e o movimento (ou mudança): uma coisa permanece enquanto permanecerem sua forma (sua causa formal) e sua finalidade (sua causa final); uma coisa muda ou move-se porque a matéria está sujeita à mudança (a causa material está em movimento) e quando uma causa eficiente altera a matéria, mudando a forma que ela possuía (a causa eficiente é o agente da mudança).

Um aspecto fundamental dessa teoria da causalidade consiste no fato de que as quatro causas não possuem o mesmo valor, isto é, são concebidas como hierarquizadas, indo da causa mais inferior à causa superior. Nessa hierarquia, a causa menos valiosa ou menos importante é a causa eficiente (a operação de fazer a causa material receber a causa formal, ou seja, o fabricar natural ou humano), e as causas mais valiosas ou mais importantes são a causa formal (a essência da coisa) e a causa final (o motivo ou finalidade da existência de alguma coisa). Por isso, a causa material e a eficiente são ditas causas externas, enquanto a formal e a final são ditas causas internas. Percebe-se que são mais importantes as causas da permanência e menos importantes as causas da mudança ou do movimento.

Se examinarmos as ações humanas, veremos que a teoria das quatro causas leva a uma distinção entre dois tipos de atividades: a atividade técnica (ou o que os gregos chamam de poiésis) e a atividade ética e política (ou o que os gregos chamam de práxis). A primeira é considerada uma rotina mecânica, em que um trabalhador é uma causa eficiente que introduz uma forma numa matéria e fabrica um objeto para alguém. Esse alguém é o usuário e a causa final da fabricação. A práxis, porém, é a atividade própria dos homens livres, dotados de razão e de vontade para deliberar e escolher uma ação. Na práxis, o agente, a ação e a finalidade são idênticos e dependem apenas da força interior ou mental daquele que age. Por isso, a *práxis* (ética e política) é superior à *poiésis* (o trabalho).

A teoria das quatro causas consolida-se no pensamento ocidental graças à filosofia e à teologia medievais, pois o pensamento medieval interpreta e dá continuidade à herança aristotélica.

À primeira vista, a teoria aristotélica da causalidade é uma pura concepção metafísica que serve para explicar de modo coerente e objetivo os fenômenos naturais (física) e os fenômenos humanos (ética, política e trabalho). Nada parece indicar a menor relação entre a explicação causal do universo e a realidade social grega. Sabemos, porém, que a sociedade grega antiga é escravagista e que a sociedade medieval baseia-se na servidão, isto é, são sociedades que distinguem radicalmente os homens entre superiores — os homens livres, que são cidadãos, na Grécia, e senhores feudais, na Europa medieval — e inferiores — os escravos, na Grécia, e os servos da gleba, na Idade Média.

Mas o que teria a concepção da causalidade a ver com tal divisão social? Muita coisa.

Se tomarmos o cidadão ou o senhor e indagarmos a qual das causas ele corresponde, veremos que corresponde à causa final, isto é, o fim ou motivo pelo qual alguma coisa é feita, é o usuário dessa coisa, aquele que ordenou sua fabricação (por isso, na teologia cristã, Deus é considerado a causa final do universo, que existe "para Sua maior glória e honra"). Em outras palavras, a causa final está vinculada à ideia de uso, e este depende da vontade de quem ordena a produção de alguma coisa. Se, por outro lado, indagarmos a que causa corresponde o escravo ou o servo, veremos que corresponde à causa motriz ou eficiente, isto é, ao trabalho graças ao qual uma certa matéria receberá uma certa forma para servir ao uso ou ao desejo do senhor. Compreende-se, então, por que a metafísica das quatro causas considera a causa final superior à eficiente, que se encontra inteiramente subordinada à primeira.

Não só nos planos da Natureza e do sobrenatural, mas também no plano humano ou social, o trabalho aparece como elemento secundário ou inferior, a fabricação sendo menos importante do que seu fim. A causa eficiente é um simples meio ou instrumento para a satisfação da vontade ou desejo de um outro, o usuário do produto do trabalho.

Temos, portanto, uma teoria geral para a explicação da realidade e de suas transformações que, na verdade, é a transposição involuntária de relações sociais muito determinadas para o plano das ideias. Quando o teórico elabora sua teoria, evidentemente não pensa estar realizando essa transposição, mas julga estar produzindo ideias verdadeiras que nada devem à existência histórica e social do pensador. Até pelo contrário, o pensador julga que com essas ideias poderá explicar a própria sociedade em que vive.

Em outras palavras, uma teoria exprime, por meio de ideias, uma realidade social e histórica determinada, e o pensador pode ou não estar consciente disso. Quando sabe que suas ideias estão enraizadas na história, pode esperar que elas ajudem a compreender a realidade de onde surgiram. Quando, porém, não percebe a raiz histórica de suas ideias e imagina que elas serão verdadeiras para todos tempos e todos os lugares, corre o risco de estar, simplesmente, produzindo uma ideologia. De fato, um dos traços fundamentais da ideologia consiste, justamente, em tomar as ideias como independentes da realidade histórica e social, quando na verdade é essa realidade que torna compreensíveis as ideias elaboradas e a capacidade ou não que elas possuem para explicar a realidade que as provocou.

Prossigamos com nosso exemplo. Vejamos agora o que sucede com a teoria da causalidade no mundo moderno, a partir da física elaborada nos séculos XVI e XVII. Com os trabalhos de Galileu, Francis Bacon e Descartes (entre outros), o pensamento moderno reduziu as quatro causas apenas a duas, a eficiente e a final, passando a dar à palavra "causa" o sentido que hoje lhe damos, isto é, de operação ou ação que produz necessariamente um efeito determinado. Ou seja, para nós, uma relação é dita causal quando há um laço necessário entre uma causa e um

Aristóteles (384 a.C. - 322 a.C.)

efeito. A causa não "responde" simplesmente pelo efeito, mas o produz.

A física moderna considera que a Natureza age de modo inteiramente mecânico, isto é, como um sistema necessário de relações de causa e efeito, tomando a causa sempre e exclusivamente no sentido de causa motriz ou eficiente. Ou seja, não há causas finais na Natureza. No plano da metafísica, porém, além da causa eficiente, é conservada a causa final, pois esta se refere a toda ação voluntária e livre, ou seja, refere-se à ação de Deus e à dos homens. A vontade (divina e humana) é livre e age tendo em vista fins ou objetivos a serem alcançados. Assim, a Natureza distingue-se de Deus e dos homens (enquanto espíritos); é que ela obedece a leis necessárias e impessoais — a causa eficiente define o reino da Natureza como reino da necessidade racional —, enquanto Deus e os homens agem por vontade livre, Deus e os homens constituem o reino da finalidade e da liberdade. Em outras palavras, necessário é aquilo que é como é e jamais poderá ser diferente do que é; livre é aquilo que é tal como foi voluntariamente escolhido e poderia ser diferente, se a escolha tivesse sido outra.

Costuma-se dizer que o pensamento moderno representa um grande progresso teórico, pois, ao eliminar as causas finais do plano da Natureza, eliminou explicações antropomórficas que impediam o desenvolvimento da ciência Física.

Que significa a separação entre a Natureza — reino da pura necessidade mecânica — e o Homem — reino da pura finalidade e liberdade? Que "progresso teórico" foi esse?

Um dos resultados da Física moderna foi a possibilidade de explicar o corpo humano (anatômica e fisiologicamente) como um corpo natural, isto é, movido apenas pela ação da causalidade eficiente, como uma máquina que opera sem a intervenção da vontade e da liberdade. Os corpos são autômatos governados por leis mecânicas. O corpo humano, dirá Descartes, é um "animal máquina".

O homem surge, então, como um ser muito peculiar: por seu corpo, é uma máquina natural e impessoal que obedece à causalidade eficiente; por sua vontade (ou por seu espírito, onde a vontade se aloja), é uma liberdade que age em vista de fins livremente escolhidos. Pode, então, fazer com que seu corpo, atuando mecanicamente, sirva aos fins escolhidos por sua vontade. Assim, se do lado da Natureza não há mais hierarquia de seres e de causas, do lado humano a hierarquia reaparece porque a causa final ou livre é superior e mais valiosa do que a eficiente: o espírito vale mais do que o corpo, e este deve subordinar-se àquele. O homem livre é, portanto, um ser universal (sempre existiu e sempre existirá) que se caracteriza pela união de um corpo mecânico e de uma vontade finalista.

Qual será a manifestação por excelência desse homem livre? No século XVII, a resposta ainda era, como para os antigos, a filosofia, a ciência e a ética. Porém, com uma diferença que crescerá com o passar do tempo. De fato, filosofia e ciência são tomadas não mais como contemplação da realidade, mas como poder humano para transformar e dominar a realidade. O conhecimento liga-se à prática de domínio técnico sobre a natureza e sobre a sociedade. Pouco a pouco, afirma-se que a manifestação por excelência do homem livre é seu poder transformador e dominador, aquela atividade na qual sua vontade subordina seu corpo para obter certo fim — o trabalho. O trabalho, que os antigos e medievais desprezavam, aparece, assim, como uma das expressões privilegiadas do homem como ser natural e espiritual.

Como foi possível passar da desqualificação do trabalho à sua nova valorização? É que, agora, estamos vendo surgir uma nova sociedade ou uma nova formação social, em que desponta a imagem do homem que valoriza a si mesmo não por seu sangue ou família (como é o caso do senhor feudal ou do aristocrata, que vale por sua linhagem), mas por ter adquirido poder econômico e começar a adquirir poder político e prestígio social como recompensa de seu esforço pessoal, de sua capacidade de trabalho e de poupança. Estamos agora diante do burguês. Ou do homem valorizado pela chamada ética protestante, a ética de Lutero e, sobretudo, de Calvino, na qual o homem não vale por seu sangue e linhagem, e sim pelo seu esforço pessoal perante Deus. Surge, agora, o que chamamos de indivíduo moderno, o homem honesto que trabalha, poupa e investe sua poupança em mais trabalho, pois, como dizem os teólogos protestantes, ao perder o Paraíso, o homem foi posto na terra para trabalhar e honrar a Deus pelo trabalho. Trabalhar, poupar e investir: a ética protestante ordena que a riqueza se transforme em capital.

No entanto, a nova sociedade, que valoriza o trabalho como unidade do corpo (natureza) e do espírito (vontade livre), não é constituída apenas pelo burguês, mas ainda por outro homem livre. Vejamos o perfil desse outro personagem, tal como Marx o apresenta no capítulo "O segredo da acumulação primitiva", em *O Capital*. Trata-se do moderno trabalhador livre: "Trabalhadores livres num duplo sentido, pois já não aparecem diretamente como meios de produção, como o eram o escravo e o servo, e também já não possuem seus próprios meios de produção, como o lavrador que trabalha sua própria terra; livres e donos de si mesmos (...). O regime do capital pressupõe a separação entre o trabalhador e a propriedade das condições de realização de seu trabalho (...). Portanto, o processo que engendra o capitalismo só pode ser um: o processo de separação entre o trabalhador e a propriedade das condições de seu trabalho, processo que, por um lado, converte em capital os meios sociais de vida e de produção, enquanto,

Descartes (1596 - 1650)

por outro lado, converte os produtores diretos em assalariados".

Estamos, pois, diante do que se convencionou chamar de homem livre moderno. Notamos, porém, que esse "homem" é dois tipos diferentes de homens: há o burguês, proprietário privado dos meios de produção ou das condições do trabalho, e há o trabalhador, despojado desses meios e dessas condições, "liberado" da servidão, mas também despojado dos meios de trabalhar livremente, só podendo trabalhar como assalariado. Ora, visto que o capital não pode se acumular nem se reproduzir sem a exploração do trabalho, que é sua fonte, é preciso distinguir duas faces do trabalho, embora tidas como igualmente dignas: de um lado, o trabalho como expressão de uma vontade livre e dotada de fins próprios (isto é, o trabalho visto pelo burguês), e, de outro lado, o trabalho como relação da máquina corporal com as máquinas sem vida, isto é, com as coisas naturais e fabricadas (isto é, o trabalho realizado pelo trabalhador). Ora, essas duas faces do trabalho também estarão divididas em duas figuras diferentes: o lado livre e espiritual do trabalho é o burguês, que determina os fins, enquanto o lado mecânico e corpóreo do trabalho é o trabalhador, simples meio para fins que lhe são estranhos. De um lado, a liberdade. De outro, a "necessidade", isto é, o autômato.

Assim, a concepção mecânica da Natureza como causalidade eficiente necessária a ser dominada e transformada pela ciência e técnica e a concepção da liberdade da vontade, que atua na ética e na política, pressupõem a separação entre matéria (corpos) e espírito (almas), separação que exprime a divisão social entre os corpos que trabalham e as almas que mandam, decidem, vigiam, punem e usam os frutos produzidos pelos corpos. Os trabalhadores "livres" fazem parte da Natureza, enquanto os burgueses constituem a sociedade.

Vemos, novamente, como ideias que parecem resultar do puro esforço intelectual, de uma elaboração teórica objetiva e neutra, de puros conceitos nascidos da observação científica e da especulação metafísica, sem qualquer laço de dependência às condições sociais e históricas, são, na verdade, expressões dessas condições reais. Com tais ideias pretende-se explicar a realidade, sem se perceber que são elas que precisam ser explicadas pela realidade social e histórica.

* * *

O real não é constituído por coisas. Nossa experiência direta e imediata da realidade nos leva a imaginar que o real é feito de coisas (sejam elas naturais ou humanas), isto é, de objetos físicos, psíquicos, culturais, oferecidos à nossa percepção e às nossas vivências.

Assim, por exemplo, costumamos dizer que uma montanha é real porque é uma coisa. No entanto, o simples fato de que essa "coisa" possui um nome, que a chamamos "montanha", indica que ela é, pelo menos, uma "coisa para nós", isto é, algo que possui um sentido em nossa experiência. Suponhamos que pertencemos a uma sociedade cuja religião é politeísta e cujos deuses são imaginados com formas e sentimentos humanos, embora superiores aos dos homens, e que nossa sociedade exprime essa superioridade divina fazendo com que os deuses sejam habitantes dos altos lugares. A montanha já não é uma coisa: é a morada dos deuses. Suponhamos, agora, que somos uma empresa capitalista que pretende explorar minério de ferro e que descobrimos uma grande jazida numa montanha. Como empresários, compramos a montanha, que, portanto, não é uma coisa, mas propriedade privada. Visto que iremos explorá-la para obtenção de lucros, não é uma coisa, mas capital. Ora, sendo propriedade privada capitalista, só existe como tal se for lugar de trabalho. Assim, a montanha não é coisa, mas relação econômica e, portanto, relação social. A montanha, agora, é matéria-prima num conjunto de forças produtivas, dentre as quais se destaca o trabalhador, para quem a montanha é lugar de trabalho. Suponhamos, agora, que somos pintores. Para nós, a montanha é forma, cor, volume, linhas, profundidade — não é uma coisa, mas um campo de visibilidade.

Não se trata de supor que há, de um lado, a "coisa" física ou material e, de outro, a "coisa" como ideia ou significação. Não há, de um lado, a coisa em si e, de outro lado, a coisa para nós, mas um entrelaçamento do físico-material e da significação, a unidade de um ser e de seu sentido, fazendo com que aquilo que chamamos de "coisa" seja sempre um campo significativo. O Monte Olimpo, o Monte Sinai são realidades culturais tanto quanto as Sierras para a história da revolução cubana, ou as montanhas para a resistência espanhola e francesa, ou a Montanha Santa Vitória, pintada por Cézanne. O que não impede ao geólogo de estudá-las de modo diverso, nem ao capitalista de reduzi-las a mercadorias (seja explorando seus recursos de matéria-prima, seja transformando-as em objeto de turismo lucrativo).

O que dissemos sobre a montanha, podemos também dizer a respeito de todos os entes reais. São formas de nossas relações com a natureza mediadas por nossas relações sociais, são seres culturais, campos de significação variados no tempo e no espaço, dependentes de nossa sociedade, de nossa classe social, de nossa posição na divisão social do trabalho, dos investimentos simbólicos que cada cultura imprime a si mesma através das coisas e dos homens.

Isso, porém, não implica afirmar o oposto, isto é, se o real não é constituído de coisas, então será constituído por ideias ou por nossas representações das coisas. Se fizéssemos tal afirmação, estaríamos na ideologia em estado puro, pois para esta última a realidade é constituída por ideias, das quais as coisas seriam uma espécie de receptáculo ou de encarnação provisória.

O empirismo (do grego empeiria, que significa: experiência dos sentidos) considera que o real são fatos ou coisas observáveis e que o conhecimento da realidade se reduz à experiência sensorial que temos dos objetos, cujas sensações se associam e formam ideias em nosso cérebro. O idealista, por sua vez, considera que o real são ideias ou representações e que o conhecimento da realidade se reduz ao exame dos dados e das operações de nossa consciência ou do intelecto, como atividade produtora de ideias que dão sentido ao real e o fazem existir para nós.

Tanto num caso como no outro, a realidade é considerada um puro dado imediato: um dado dos sentidos, para o empirista, ou um dado da consciência, para o idealista. Ora, o real não é um dado sensível nem um dado intelectual, mas é um processo, um movimento temporal de constituição dos seres e de suas significações, e esse processo depende fundamentalmente do modo como os homens se relacionam entre si e com a natureza. Essas relações entre os homens e deles com a natureza constituem as relações sociais como algo produzido pelos próprios homens, ainda que estes não tenham consciência de serem seus únicos autores.

É, portanto, das relações sociais que precisamos partir para compreender os conteúdos e as causas dos pensamentos e das ações dos homens e por que eles agem e pensam de maneiras determinadas, sendo capazes de atribuir sentido a tais relações, de conservá-las ou de transformá-las. Porém, novamente, não se trata de tomar essas relações como um dado ou como um fato observável, pois nesse caso estaríamos em plena ideologia. Trata-se, pelo contrário, de compreender a própria origem das relações sociais e de suas diferenças temporais, em uma palavra, de encará-las como processos históricos.

Mas, ainda uma vez, não se trata de tomar a história como sucessão de acontecimentos factuais, nem como evolução temporal das coisas e dos homens, nem como um progresso de suas ideias e realizações, nem como formas sucessivas e cada vez melhores das relações sociais. A história não é sucessão de fatos no tempo, não é progresso das ideias, mas o modo como homens determinados em condições determinadas criam os meios e as formas de sua existência social, reproduzem ou transformam essa existência social que é econômica, política e cultural.

A história é *práxis* (como vimos, *práxis* significa um modo de agir no qual o agente, sua ação e o produto de sua ação são termos intrinsecamente ligados e dependentes uns dos outros, não sendo possível separá-los).

Nessa perspectiva, a história é o real, e o real é o movimento incessante pelo qual os homens, em condições que nem sempre foram escolhidas por eles, instauram um modo de sociabilidade e procuram fixá-lo em instituições determinadas (família, condições de trabalho, relações políticas, instituições religiosas, tipos de educação, formas de arte, transmissão dos costumes, língua etc.). Além de procurar fixar seu modo de sociabilidade através de instituições determinadas, os homens produzem ideias ou representações pelas quais procuram explicar e compreender sua própria vida individual, social, suas relações com a natureza e com o sobrenatural. Em sociedades divididas em classes (e também em castas), nas quais uma das classes explora e domina as outras, essas explicações ou essas ideias e representações serão produzidas e difundidas pela classe dominante para legitimar e assegurar seu poder econômico, social e político. Por esse motivo, essas ideias ou representações tenderão a esconder dos homens o modo real como suas relações sociais foram produzidas e a origem das formas sociais de exploração econômica e de dominação política. Esse ocultamento da realidade social chama-se ideologia. Por seu intermédio, os dominantes legitimam as condições sociais de exploração e de dominação, fazendo com que pareçam verdadeiras e justas. Enfim, também é um aspecto fundamental da existência histórica dos homens a ação pela qual podem ou reproduzir as relações sociais existentes, ou transformá-las, seja de maneira radical (quando fazem uma revolução), seja de maneira parcial (quando fazem reformas). Em outras palavras, uma ideologia não possui um poder absoluto que não possa ser quebrado e destruído. Quando uma classe social compreende sua própria realidade, pode organizar-se para quebrar uma ideologia e transformar a sociedade. Os burgueses destruíram a ideologia aristocrática (nos séculos XVI, XVII e XVIII), e os trabalhadores podem destruir a ideologia burguesa (como propôs Marx).

Nossa tarefa será, pois, compreender por que a ideologia é possível: qual sua origem, quais seus fins, quais seus mecanismos e quais seus efeitos históricos, isto é, sociais, econômicos, políticos e culturais.

HISTÓRIA DO TERMO

O termo *ideologia* aparece pela primeira vez na França, após a Revolução Francesa (1789), no início do século XIX, em 1801, no livro de Destutt de Tracy, *Eléments d'Idéologie* (Elementos de Ideologia). Juntamente com o médico Cabanis, com De Gérando e Volney, Destutt de Tracy pretendia elaborar uma ciência da gênese das ideias, tratando-as como fenômenos naturais que exprimem a relação do corpo humano, enquanto organismo vivo, com o meio ambiente. Elabora uma teoria sobre as faculdades sensíveis, responsáveis pela formação de todas as nossas ideias: querer (vontade), julgar (razão), sentir (percepção) e recordar (memória).

Esse grupo de pensadores, conhecidos como os ideólogos franceses, era antiteológico, antimetafísico e antimonárquico. Ou seja, eram críticos a toda explicação sobre uma origem invisível e espiritual das ideias humanas e inimigos do poder absoluto dos reis. Eram *materialistas*, isto é, admitiam apenas causas naturais físicas (ou materiais) para as ideias e as ações humanas e só aceitavam conhecimentos científicos baseados na observação dos fatos e na experimentação. Pertenciam ao partido liberal e esperavam que o progresso das ciências experimentais, baseadas exclusivamente na observação, na análise e síntese dos dados observados, pudesse levar a uma nova pedagogia e a uma nova moral. Contra a educação religiosa e metafísica, que sempre esteve a serviço do poder político de um monarca, De Tracy propõe o ensino das ciências físicas e químicas para "formar um bom espírito", isto é, uma inteligência capaz de observar, decompor e recompor os fatos, sem perder-se em vazias especulações abstratas nem em explicações teológicas. A monarquia era vista por ele como maquinação entre o poder político e o poder religioso, uma vez que se dizia que o rei recebia o poder diretamente de Deus (um poder espiritual absoluto e invisível) e por isso podia exigir obediência total dos súditos, tendo o poder de vida e morte sobre eles. Cabanis pretende construir ciências morais dotadas de tanta certeza quanto as naturais, capazes de trazer a felicidade coletiva e de acabar com os dogmas, desde que a moralidade não seja separada da fisiologia do corpo humano. Ou seja, a moral não é o campo de escolhas voluntárias nascidas no espírito de cada um, mas o campo de ações nascidas de necessidades, interesses e desejos que podem ser cientificamente conhecidos e controlados pelos próprios homens.

Nos *Elementos de Ideologia*, na parte dedicada ao estudo da vontade, De Tracy procura analisar os efeitos de nossas ações voluntárias e escreve, então, sobre economia, na medida em que os efeitos de nossas ações voluntárias concernem à nossa aptidão para prover nossas necessidades materiais. Procura saber como atuam, sobre o indivíduo e sobre a massa, o trabalho e as diferentes formas da sociedade, isto é, a família, a corporação etc. Suas considerações, na verdade, são glosas das análises do economista francês Say a respeito da troca, da produção, da indústria, da distribuição do consumo e das riquezas.

No livro *Influências do moral sobre o físico*, Cabanis procura determinar a influência do cérebro sobre o resto do organismo, no quadro puramente fisiológico. O ideólogo francês partilha do otimismo naturalista e materialista do século XVIII, acreditando que a Natureza tem, em si, as condições necessárias e suficientes para o progresso, e que só graças a ela nossas inclinações e nossa inteligência adquirem uma direção e um sentido.

Os ideólogos foram partidários de Napoleão e apoiaram o golpe de 18 Brumário (quando Napoleão toma o poder, instituindo o período conhecido como Consulado), pois o julgavam um liberal continuador dos ideais da Revolução Francesa. Enquanto Cônsul, Napoleão nomeou vários dos ideólogos senadores ou tribunos. Todavia, logo se decepcionaram com Bonaparte, vendo nele o restaurador do Antigo Regime, isto é, da monarquia que tanto haviam criticado. Opõem-se às leis referentes à segurança do Estado e são por isso excluídos do Tribunado, e sua Academia é fechada. Os decretos napoleônicos para a fundação da nova Universidade Francesa dão plenos poderes aos inimigos dos ideólogos, que passam, então, para o partido da oposição.

O sentido pejorativo dos termos "ideologia" e "ideólogos" veio de uma declaração de Napoleão, que, num discurso ao Conselho de Estado em 1812, declarou: "Todas as desgraças que afligem nossa bela França devem ser atribuídas à ideologia, essa tenebrosa metafísica que, buscando com sutilezas as causas primeiras, quer fundar sobre suas bases a legislação dos povos, em vez de adaptar as leis ao conhecimento do coração humano e às lições da história". Com isso, Bonaparte invertia a imagem que os ideólogos tinham de si mesmos: eles, que se consideravam materialistas, realistas e antimetafísicos, foram perversamente chamados de "tenebrosos metafísicos", ignorantes do realismo político que adapta as leis ao coração humano e às lições da história.

O curioso, como veremos adiante, é que se a acusação de Bonaparte é infundada com relação aos ideólogos franceses, não o seria se se dirigisse aos ideólogos alemães, criticados por Marx. Ou seja, Marx conservará o significado napoleônico do termo: o ideólogo é aquele que inverte as relações entre as ideias e o real. Assim, a ideologia, que inicialmente designava uma ciência natural da aquisição, pelo homem, das ideias calcadas sobre o próprio real, passa a designar, daí por diante, um sistema de ideias condenadas a desconhecer sua relação real com a realidade.

* * *

O termo ideologia voltou a ser empregado com um sentido próximo ao do grupo dos ideólogos franceses pelo filósofo Auguste Comte, em seu *Cours de Philosophie Positive* (*Curso de Filosofia Positiva*). O termo, agora, possui dois significados: por um lado, a ideologia continua sendo aquela atividade filosófico-científica que estuda a formação das ideias a partir da observação das relações entre o corpo humano e o meio ambiente, tomando como ponto de partida as sensações; por outro lado, ideologia passa a significar também o conjunto de ideias de uma época, tanto como "opinião geral" quanto no sentido de elaboração teórica dos pensadores dessa época.

Como se sabe, o positivismo de Auguste Comte elabora uma explicação da transformação do espírito humano considerando essa transformação um progresso ou uma evolução durante a qual a humanidade passa por três fases sucessivas: a fase fetichista ou teológica, na qual os homens explicam a realidade através de ações divinas; a fase metafísica, na qual os homens explicam a realidade por meio de princípios gerais e abstratos; e a fase positiva ou científica, na qual os homens observam efetivamente a realidade, analisam os fatos, encontram as leis gerais e necessárias dos fenômenos naturais e humanos e elaboram uma ciência da sociedade, a física social ou sociologia, que serve de fundamento positivo ou científico para a ação individual (moral) e para a ação coletiva (política). É a etapa final do progresso humano.

Assim, cada fase do espírito humano leva-o a criar um conjunto de ideias para explicar a totalidade dos fenômenos naturais e humanos — essas explicações constituem a ideologia de cada fase. Nessa medida, ideologia é sinônimo de teoria, esta sendo entendida como a organização sistemática de todos os conhecimentos científicos, desde a formação das ideias mais gerais, na matemática, até as menos gerais, na sociologia, e as mais particulares, na moral. Como teoria, a ideologia é produzida pelos sábios, que recolhem as opiniões correntes, organizam e sistematizam tais opiniões e, sobretudo, na última etapa do progresso (na fase positivista ou científica), corrigem-nas, eliminando todo elemento religioso ou metafísico que porventura nelas exista.

Sendo o conhecimento da formação das ideias, tanto do ponto de vista psicológico quanto do ponto de vista social, sendo o conhecimento científico das leis necessárias do real e sendo o corretivo das ideias comuns de uma sociedade, a ideologia, enquanto teoria, passa a ter um papel de comando sobre a prática dos homens, que devem se submeter aos critérios e mandamentos do teórico ou do cientista antes de agir.

O lema positivista por excelência é: "saber para prever, prever para prover". Em outras palavras, o conhecimento teórico tem como finalidade a previsão científica dos acontecimentos para fornecer à prática um conjunto de regras e de normas, graças às quais a ação possa dominar, manipular e controlar a realidade natural e social.

A concepção positivista da ideologia como conjunto de conhecimentos teóricos possui três consequências principais:

1) define a teoria de tal modo que a reduz à simples organização sistemática e hierárquica de ideias, sem jamais fazer da teoria a tentativa de explicação e de interpretação

dos fenômenos naturais e humanos a partir de sua origem real. Para o positivista, indagar sobre a origem é especulação metafísica e teológica de fases atrasadas da humanidade, pois o sábio positivista deve lidar apenas com os fatos dados à sua observação;

2) estabelece entre a teoria e a prática uma relação autoritária de mando e de obediência, isto é, a teoria manda porque possui as ideias, e a prática obedece porque é ignorante. Os teóricos comandam e os demais se submetem;

3) concebe a prática como simples instrumento ou como mera técnica que aplica automaticamente regras, normas e princípios vindos da teoria. A prática não é ação propriamente dita, pois não inventa, não cria, não introduz situações novas que suscitem o esforço do pensamento para compreendê-las.

Essa concepção da prática como aplicação de ideias que a comandam de fora leva à suposição de uma harmonia entre teoria e ação. Assim sendo, quando as ações humanas — individuais e sociais — contradisserem as ideias, serão tidas como desordem, caos, anormalidade e perigo para a sociedade, pois o grande lema do positivismo é: "Ordem e Progresso". Só há "progresso", diz Comte, onde houver "ordem", e só há "ordem" onde a prática estiver subordinada à teoria, isto é, ao conhecimento científico da realidade.

Se examinarmos o significado final dessas consequências, perceberemos que nelas se acha implícita a afirmação de que o poder pertence a quem possui o saber. Por esse motivo, o positivismo declara que uma sociedade ordenada e progressista deve ser dirigida pelos que possuem o espírito científico, de sorte que a política é um direito dos sábios, e sua aplicação, uma tarefa de técnicos ou administradores competentes. Em uma palavra, o positivismo anuncia, no século XIX, o advento da tecnocracia, que se efetiva no século XX. Veremos, com o marxismo, como a concepção positivista de ideologia é, ela própria, ideológica.

* * *

Vamos reencontrar o termo "ideológico" no capítulo II do livro do sociólogo francês Émile Durkheim, *As Regras do Método Sociológico*.

Como se sabe, Durkheim tem a intenção de criar a sociologia como ciência, isto é, como conhecimento racional, objetivo, observacional e necessário da sociedade. Para tanto, diz ele, é preciso tratar o fato social como uma coisa, exatamente como o cientista da Natureza trata os fenômenos naturais. Isso significa que a condição para uma sociologia científica é tomar os fatos sociais como desprovidos de interioridade, isto é, de significações e interpretações subjetivas, de modo a permitir que o sociólogo encare uma realidade da qual participa como se não fizesse parte dela. Em outras palavras, a regra fundamental da objetividade científica é a separação entre sujeito do conhecimento e objeto do conhecimento, separação que garante a objetividade porque garante a neutralidade do cientista, que pode, assim, tratar relações sociais (relações entre seres humanos) como coisas diretamente observáveis e transparentes para o olhar do sociólogo. Assim sendo, Durkheim chamará de ideologia todo conhecimento da sociedade que não respeite tais critérios de objetividade.

Para o sociólogo cientista, o ideológico é um resto, uma sobra de ideias antigas, pré-científicas. Durkheim as considera preconceitos e prenoções inteiramente subjetivas, individuais, "noções vulgares" ou fantasmas que o pensador acolhe porque fazem parte de toda a tradição social em que está inserido.

Um sociólogo não científico, segundo Durkheim, assume uma atitude ideológica. Por que ideológica? Por três motivos: em primeiro lugar, porque é subjetiva e tradicional, revelando que o pensador não tomou distância em relação à sociedade que vai estudar; em segundo lugar, porque, formando toda a bagagem de ideias prévias do cientista suas prenoções ou preconceitos, a ciência acaba indo das ideias aos fatos, quando deve ir dos fatos às ideias; e, em terceiro lugar, porque na falta de conceitos precisos o cientista usa palavras vazias e as substitui aos verdadeiros fatos que deveria observar. A ciência é substituída pela invenção pessoal e por seus caprichos, ou, como diz Durkheim, a arte ocupa o lugar da ciência (entendendo-se por arte a engenhosidade, e não, evidentemente, as "belas-artes").

Para Durkheim, o grande princípio metodológico que permite tratar o fato social como coisa e liberar o cientista da ideologia é: "Tomar sempre para objeto da investigação um grupo de fenômenos previamente isolados e definidos por características exteriores que lhes sejam comuns e incluir na mesma investigação todos os que correspondem a essa definição". Assim, o fato social, convertido em coisa científica, nada mais é do que um *dado* previamente isolado, classificado e relacionado com outros por meio da semelhança ou constância das características externas. Esse objeto imóvel, dado, acabado, é conhecido quando classificado, comparado e submetido a leis de frequência e de constância. Veremos adiante que essa concepção imobilizada e exteriorizada do objeto social é um positivismo ideológico, desde que compreendamos, afinal, o que é ideologia.

IV
A CONCEPÇÃO MARXISTA DE IDEOLOGIA

Embora Marx tenha escrito sobre a "ideologia em geral", o texto em que realiza a caracterização da ideologia tem por título: *A Ideologia Alemã*. Isso significa que a análise de Marx tem como objetivo privilegiado um pensamento historicamente determinado, qual seja, o dos pensadores alemães posteriores ao filósofo alemão Hegel.

Essa observação é importante por dois motivos. Em primeiro lugar, porque, como veremos, Marx não separa a produção das ideias e as condições sociais e históricas nas quais são produzidas (tal separação, aliás, é o que caracteriza a ideologia). Em segundo lugar, porque para entendermos as críticas de Marx precisamos ter presente o tipo de pensamento determinado que ele examina e que, no caso, pressupõe a filosofia de Hegel. Assim, embora Marx coloque na categoria de ideólogos os pensadores franceses e ingleses, procura distinguir o tipo de ideologia que produzem: entre os franceses, a ideologia é sobretudo política e jurídica, entre os ingleses é sobretudo econômica. Os ideólogos alemães são, antes de tudo, filósofos. Se, portanto, podemos falar em ideologia em geral e na ideologia burguesa em geral, no entanto, as formas ou modalidades dessa ideologia encontram-se determinadas pelas condições sociais particulares em que se encontram os diferentes pensadores burgueses.

Sabemos que Marx dirige duas críticas principais aos ideólogos alemães (Feuerbach, F.Strauss, Max Stirner, Bruno Bauer, entre os principais). A primeira diz que esses filósofos tiveram a pretensão de demolir o sistema hegeliano imaginando que bastaria criticar apenas um aspecto da filosofia de Hegel, em lugar de abarcá-la como um todo. Com isso, os chamados críticos hegelianos apenas substituíram a dialética hegeliana por uma fraseologia sem sentido e sem consistência (com exceção de Feuerbach, respeitado por Marx, apesar das críticas que lhe faz).

A segunda crítica diz que cada um desses ideólogos tomou um aspecto da realidade humana, converteu esse aspecto numa ideia universal e passou a deduzir todo o real a partir desse aspecto idealizado. Com isso, os ideólogos alemães, além de fazerem o que todo ideólogo faz (isto é, deduzir o real das ideias), ainda imaginaram estar criticando Hegel e a realidade alemã simplesmente por terem escolhido novas ideias, que, como demonstrará Marx, não criticam coisa alguma, ignoram a filosofia hegeliana e, sobretudo, ignoram a realidade histórica alemã.

No restante da Europa, escreve Marx, ocorrem verdadeiras revoluções, mas na Alemanha a única revolução que parece ocorrer é a do pensamento, e ironiza: "uma revolução frente à qual a Revolução Francesa não foi senão um brinquedo de crianças".

Marx afirma que para compreendermos a pequeneza e limitação mesquinha da ideologia alemã é preciso sair da Alemanha, ou seja, fazer algumas considerações gerais sobre o fenômeno da ideologia. Essas considerações, embora tenham como solo a sociedade capitalista europeia do século XIX, têm como pano de fundo a questão do conhecimento histórico ou a ciência da história, pois, escreve Marx, "conhecemos apenas uma única ciência, a ciência da história. A história pode ser examinada sob dois aspectos: história da natureza e história dos homens. Os dois aspectos, contudo, são inseparáveis; enquanto existirem homens, a história da natureza e a história dos homens se condicionarão mutuamente. A história da natureza, ou ciência natural, não nos interessa aqui, mas teremos de examinar a história dos homens, pois quase toda ideologia se reduz ou a uma concepção distorcida dessa história ou a uma abstração completa dela. A própria ideologia não é senão um dos aspectos dessa história".

Sabemos que Marx concebe a história como um conhecimento dialético e materialista da realidade social. Sabemos também que dentre as várias fontes dessa concepção encontra-se a filosofia hegeliana, criticada por Marx, mas conservada em aspectos essenciais por ele. Para que a concepção marxista de história, da qual depende sua formulação de ideologia, fique um pouco mais clara para nós, vale a pena lembrarmos aqui alguns aspectos da concepção hegeliana.

De maneira esquemática (e, portanto, muito grosseira), podemos caracterizar a obra hegeliana como:

1) um trabalho filosófico para compreender a origem e o sentido da realidade como Cultura. A Cultura representa as relações dos homens com a Natureza pelo desejo, pelo trabalho e pela linguagem, as instituições sociais, o Estado, a religião, a arte, a ciência, a filosofia. É o real enquanto manifestação do Espírito. Não se trata, segundo Hegel, de dizer que o Espírito simplesmente produz a Cultura, mas, sim, de dizer que ele é a Cultura, pois ele existe encarnado nela;

2) um trabalho filosófico que define o real pela Cultura e esta pelos movimentos de exteriorização e de

interiorização do Espírito. Ou seja, o Espírito manifesta-se nas obras que produz (é isto sua exteriorização), e quando sabe ou reconhece que é o produtor delas, interioriza (compreende) essas obras porque sabe que elas são ele próprio. Por isso o real é histórico. Ele não *tem* história, nem *está* na história, mas é história;

3) um trabalho filosófico que revoluciona o conceito de história por três motivos:

— em primeiro lugar, porque não pensa a história como uma sucessão contínua de fatos no tempo, pois o tempo não é uma sucessão de instantes (antes, agora, depois; passado, presente, futuro) nem é um recipiente vazio onde se alojariam os acontecimentos, mas é um movimento dotado de força interna, criador dos acontecimentos. Os acontecimentos não estão no tempo, mas *são* o tempo;

— em segundo lugar, porque não pensa a história como uma sucessão de causas e efeitos, mas como um processo dotado de uma força ou de um motor interno que produz os acontecimentos. Esse motor interno é a contradição. Em geral, confundimos contradição e oposição, mas ambos são conceitos muito diferentes. Na oposição existem dois termos, cada qual dotado de suas próprias características e de sua própria existência, que se opõem quando, por algum motivo, se encontram. Isso significa que, na oposição, podemos tomar os dois termos separadamente, entender cada um deles, entender por que se oporão se se encontrarem e, sobretudo, podemos perceber que eles existem e se conservam, quer haja ou não haja a oposição. Assim, por exemplo, poderíamos imaginar que os termos "senhor" e "escravo" são opostos, mas isso não nos impede de tomar cada um desses conceitos separadamente, verificar suas características e compreender por que se opõem. A contradição, porém, não é isso. Formulado, pela primeira vez, pelos gregos, o princípio lógico de contradição enuncia que: "É impossível que A seja A e não A ao mesmo tempo e na mesma relação". A grande inovação hegeliana consiste em mostrar que isso não é impossível, e sim o movimento da própria realidade. Diversamente da oposição, em que os termos podem ser pensados fora da relação em que se opõem, na contradição só existe a relação, isto é, não podemos tomar os termos antagônicos fora dessa relação, pois, como assegura o princípio, trata-se de tomar os termos ao mesmo tempo e na mesma relação, criados por essa relação e transformados nela e por ela. Além disso, a contradição opera com uma forma muito determinada de negação, a negação interna. Ou seja, se dissermos "O caderno não é o livro", essa negação é externa, pois, além de não definir qualquer relação interna entre os dois termos, qualquer um deles pode aparecer em outras negações, visto que podemos dizer: o caderno não é o livro, não é a pedra, não é a casa, não é o homem etc.

A negação é interna quando o que é negado é a própria realidade de um dos termos, por exemplo, quando dizemos: "A é não A". Ou seja, quando digo "A não é B", a negação é externa; mas quando digo "A é não A", a negação é interna. Na primeira, digo que algo não é outra coisa (ou qualquer outra coisa); mas na segunda digo que algo é ele mesmo e a negação dele mesmo, ao mesmo tempo. Só há contradição quando a negação é interna e quando ela for a relação que define uma realidade que é em si mesma dividida num polo positivo e num polo negativo, polo este que é o negativo daquele positivo e de nenhum outro. Por exemplo, quando dizemos "a canoa é a não canoa", definimos a canoa por sua negação interna, ela é a não canoa porque ela é a madeira ou a árvore negadas, suprimidas como madeira ou árvore pelo trabalho do canoeiro. O trabalho do canoeiro consiste em negar a árvore como uma coisa natural, transformando-a em coisa humana ou cultural, isto é, na canoa, e o ser da canoa é ser a não canoa, isto é, a árvore trabalhada. A árvore, por sua vez, é não árvore, pois é a canoa ou árvore negada. Numa relação de contradição, portanto, os termos que se negam um ao outro só existem nessa negação. Assim, o escravo é o não senhor e o senhor é o não escravo, e só haverá escravo onde houver senhor, e só haverá senhor onde houver escravo. Podemos dizer que o escravo não é a pedra e que o senhor não é o cavalo, mas essas negações externas não nos dizem o que são um senhor e um escravo.

O que é um senhor? Um não escravo.

O que é um escravo? Um não senhor.

Para haver um senhor é necessário haver um escravo; para haver um escravo é necessário haver um senhor.

Ambos só existem como relação. Mas onde está a contradição? Que é, verdadeiramente, um senhor? Aquele que sobrevive graças ao trabalho do escravo, portanto um senhor é aquele cujo ser depende da ação de um outro que é sua negação. Que é, verdadeiramente, um escravo? Aquele que julga o senhor como único ser humano existente e vê a si mesmo como não humano porque é não senhor. Assim, o senhor vive graças ao não senhor e o escravo vive para o seu senhor e não para si mesmo. Somente quando o senhor afirma que o escravo não é homem, mas um instrumento de trabalho, e somente quando o escravo afirma sua não humanidade, dizendo que só o senhor é homem, temos contradição.

Porém, o aspecto mais fundamental da contradição é que ela é um motor temporal: ou seja, as contradições não existem como fatos dados no mundo, mas são produzidas. A produção e a superação das contradições são o movimento da história. A produção e a superação das contradições revelam que o real se realiza como luta. Nesta luta, uma realidade é produzida já dividida, já fraturada num polo positivo e num polo que nega o primeiro, essa negação sendo a luta mortal dos contrários, que só termina quando os dois termos se negam inteiramente um ao outro e engendram uma síntese. Essa é uma realidade nova, nascida da luta interna da realidade anterior. Mas essa síntese ou realidade nova também surgirá fraturada e reabre a luta dos contraditórios, de sua negação recíproca e da criação de uma nova síntese que, por seu turno, já é, em si mesma, uma nova divisão interna;

— em terceiro lugar, portanto, porque não pensa a história como sucessão de fatos dispersos que seriam unificados pela consciência do historiador, mas, sim, pensa a história como processo contraditório unificado em si mesmo e por si mesmo, plenamente compreensível e racional. Por isso Hegel afirma que o real é racional e o racional é real. A racionalidade não expulsa a contradição (não diz que ela é impossível), mas é o movimento da própria contradição, movimento que é o tempo;

4) um trabalho filosófico que concebe a história como história do Espírito. Este começa exteriorizando-se ou manifestando-se na produção das obras culturais (sociedade, religião, arte, política, ciência, filosofia, técnicas etc.), numa perpétua divisão consigo mesmo, isto é, a produção do Espírito são contradições que vão sendo superadas por ele e repostas com novas formas por ele mesmo. Esse trabalho espiritual prossegue produzindo novas sínteses (novas culturas), até que se produza a síntese final. Esta é produzida no momento em que o Espírito termina o seu

trabalho, compreende o que realizou, que a Cultura é sua obra, e se reconcilia consigo mesmo. A história é o movimento pelo qual o que o Espírito é em si (as obras culturais) torna-se o que o Espírito é para si (compreensão de sua obra como realização sua). Esse momento final chama-se filosofia. A filosofia é a Memória da história do Espírito, e por isso Hegel diz que ela começa apenas quando o trabalho histórico terminou. Ela é como o pássaro de Minerva (a deusa da sabedoria), que só abre asas na hora do crepúsculo;

5) um trabalho filosófico que pensa a história como reflexão. Reflexão significa: volta sobre si mesmo. Em geral, considera-se que somente a consciência é capaz dessa volta sobre si, isto é, de conhecer-se a si mesma como consciência. Só a consciência seria capaz de reflexão. Para Hegel, essa reflexão da consciência é apenas uma forma menor da verdadeira reflexão, que é a do Espírito. Este exterioriza-se em obras, mas é capaz de reconhecer-se como produtor delas, é capaz de compreender-se ou de interiorizar sua criação. Lembremos que o conceito de reflexão refere-se a um fenômeno da natureza, isto é, à luz. Na reflexão perfeita, o raio luminoso retorna na direção da fonte luminosa, isto é, volta à sua própria origem. A reflexão do Espírito é o movimento de saída e retorno a si: o Espírito emite seus raios, que o refletem, retornando a ele. Ou seja, o Espírito "sai para fora de si", criando a Cultura, e "volta para dentro

de si", reconhecendo sua produção, fazendo com que o que ela é, em si, seja também para si. Nessa medida, a história é reflexão. E o Espírito é o Sujeito da história, pois somente um sujeito é capaz de reflexão;

6) um trabalho filosófico que procura dar conta do fenômeno da alienação. Em geral, considera-se que o exterior (as coisas naturais, os produtos do trabalho, a sociedade etc.) é algo positivo em si e que se distingue do interior (a consciência, o sujeito). Hegel mostra que o exterior e o interior são as duas faces do Espírito, são dois *momentos* da vida e do trabalho do Espírito. Essas duas faces *aparecem* como separadas, mas essa separação foi produzida pelo próprio Espírito, ao exteriorizar-se nas obras e ao interiorizar-se compreendendo sua produção. Ora, quando a interiorização não ocorre, isto é, quando o Sujeito não se reconhece como produtor das obras e como Sujeito da história, mas toma as obras e a história como forças estranhas, exteriores, alheias a ele e que o dominam e perseguem, temos o que Hegel designa como *alienação* (palavra derivada do pronome latino *alienus*, que quer dizer: o outro de si mesmo, um outro que si mesmo). Essa é a impossibilidade de o sujeito histórico identificar-se com sua obra, tomando-a como um poder separado dele, ameaçador e estranho, outro que não ele mesmo;

7) um trabalho filosófico que diferencia imediato e mediato, abstrato e concreto, aparência e ser. Imediato,

abstrato e aparência são sinônimos; não significam irrealidade e falsidade, mas, sim, o modo pelo qual uma realidade se oferece como algo dado como um fato positivo dotado de características próprias e já prontas, ordenadas, classificadas e relacionadas por nosso entendimento. Mediato, concreto e ser são sinônimos: referem-se ao processo de constituição de uma realidade através de mediações contraditórias. O conhecimento da realidade exige que diferenciemos o modo como uma realidade *aparece* e o modo como é concretamente *produzida*. Imediato, abstrato e aparência são momentos do trabalho histórico negados pela mediação, pelo concreto e pelo ser. Isso significa que esses termos são contraditórios e reais. Sua síntese é efetuada pelo espírito. Essa síntese é o que Hegel denomina: *conceito*.

Esses vários aspectos do pensamento hegeliano (aqui grosseiramente resumidos) constituem a *dialética* (palavra grega derivada de *dia-logos*, isto é, a palavra e o pensamento divididos em dois polos contraditórios), ou seja, a história como processo temporal movido internamente pelas divisões ou negações (contradição) e cujo Sujeito é o Espírito como reflexão. Essa dialética é idealista porque seu sujeito é o Espírito e seu objeto também é o Espírito. Ora, as obras do Espírito (a Cultura), embora *apareçam* como fatos e coisas, *são* ideias, pois um espírito não produz coisas nem é coisa, mas produz ideias e é ideia. O idealismo hegeliano consiste, portanto, em afirmar que a história é o movimento de posição, negação e conservação das ideias, e essas são a unidade do sujeito e do objeto da história, que é Espírito.

Vejamos como opera a dialética hegeliana tomando um exemplo da *Filosofia do Direito*, quando Hegel expõe o movimento de constituição da sociedade civil e do Estado.

O Espírito começa em seu momento natural, isto é, como algo dado ou imediatamente existente: trata-se da existência dos indivíduos como vontades livres que se reconhecem como tais pelo poder que têm de apropriar-se das coisas naturais através (pela mediação) do trabalho. Assim, no primeiro momento, existem os indivíduos definidos como proprietários de seu corpo e das coisas de que se apropriam. A regulação das relações entre os proprietários conduz ao aparecimento do Direito, no qual o proprietário é definido como pessoa livre. A pessoa é, portanto, o indivíduo natural que é livre porque sua vontade o faz ser proprietário. As pessoas entram em relação por meio dos contratos (relação entre proprietários) e pelo crime (quebra do contrato).

No entanto, esses indivíduos naturais livres não são apenas proprietários. Isto é, sua vontade livre não se relaciona apenas com as coisas exteriores (propriedade) e com outros indivíduos exteriores (os proprietários contratantes). Sua vontade livre é consciente de si e faz com que cada indivíduo se relacione consigo mesmo, com sua interioridade ou consciência. Esse indivíduo livre interior se chama sujeito. As relações entre os sujeitos constituem a Moral.

Ora, o Direito e a Moral estão em conflito. Ou seja, os interesses do proprietário estão em conflito com os deveres do sujeito moral, pois o proprietário tem interesse em ampliar sua propriedade espoliando e desapropriando outros proprietários, tratando-os como se fossem coisas suas e não homens livres e independentes. E o sujeito moral deve tratar os demais como homens livres e independentes. Há, pois, uma contradição no interior de cada indivíduo entre sua face-pessoa (proprietário) e sua face-sujeito (moral). Isto é, como proprietário ele se torna não moral e como sujeito ele se torna não proprietário.

A resolução dessa contradição faz-se em dois momentos: no primeiro surge a família e no segundo surge a sociedade civil.

As individualidades naturais imediatas são integradas numa realidade nova que faz a mediação entre o indivíduo como pessoa e o indivíduo como sujeito. É a família que concilia os interesses dos proprietários e os deveres dos sujeitos, fazendo-os interesses coletivos da família e deveres comuns dos membros da família (deveres paternos, maternos, fraternos e filiais). Surge uma vida comunitária e Hegel a denomina: unidade do Espírito Subjetivo.

No entanto, a existência de múltiplas famílias reabre a contradição. Essa, agora, se estabelece entre o membro da família e o não membro da família. A luta entre as famílias constitui o primeiro momento da sociedade civil.

A sociedade civil resolve as lutas familiares criando a diferença entre os interesses públicos e os privados, e regulando as relações entre eles através do Direito (público e privado). A sociedade civil é a negação da família. Isso não significa que a família deixou de existir, significa apenas que a realidade da família não depende dela própria, mas é determinada pelas relações da sociedade civil. Isso significa que o indivíduo social não se define como membro da família (como pai, mãe, filho, irmão), mas se define por algo que desestrutura a família: as classes sociais.

A sociedade civil é constituída por três classes, a primeira das quais se encontra ainda amarrada à família, enquanto a terceira já não possui qualquer relação com a vida familiar, mas é inteiramente definida pela vida social. A primeira é aristocracia ou nobreza, proprietária da terra e que se conserva justamente pelos laços de sangue e pela linhagem (por isso ainda está próxima da família). A terceira, que Hegel denomina classe universal, é a classe média constituída pelos funcionários do Estado (governantes, dirigentes, magistrados, professores, funcionários públicos em geral). Entre essas duas classes, existe uma, intermediária, e que é o coração da sociedade civil: a classe formal, isto é, os indivíduos que vivem da indústria e do comércio, do trabalho próprio ou do trabalho alheio.

Formam as corporações (sindicatos) e seus interesses definem toda a esfera da vida civil. Através (pela mediação) das classes sociais, a sociedade civil nega o indivíduo isolado (pessoa e sujeito) e o indivíduo como membro da família, fazendo-o aparecer como indivíduo membro da sociedade e pertencente a uma classe social. A unidade ou síntese do proprietário, do sujeito e do membro da família chama-se, agora, o cidadão. Ora, entre os cidadãos (ou seja, entre as classes sociais) existem conflitos e reabre-se a contradição. Agora, a contradição se estabelece entre os interesses de cada classe social e os das outras, e entre os interesses dos próprios membros de uma classe social. Ou seja, ressurge, de modo novo, a contradição entre o privado (cada classe) e o público (todas as classes). A resolução dessa contradição é feita pelo Estado.

O Estado constitui a unidade final. Ele sintetiza numa realidade coletiva a totalidade dos interesses individuais, familiares, sociais, privados e públicos. Somente nele o cidadão torna-se verdadeiramente real e somente nele define-se a existência social e moral dos homens. O Estado é o Espírito Objetivo.

O Estado é uma comunidade. Mas difere da comunidade familiar e da comunidade das classes sociais (suas corporações) porque não possui nenhum interesse particular, mas apenas os interesses comuns e gerais de todos. É uma comunidade universal (isto é, seus interesses não sendo particulares, desta ou daquela família, deste ou daquele indivíduo, desta ou daquela classe, são interesses universais). O Estado não é, pois, um dado imediato da vida social, mas um produto da sociedade enquanto Espírito Subjetivo que busca tornar-se Espírito Objetivo. O Estado é a *Ideia* política por excelência, uma das mais altas sínteses do Espírito. Nele harmonizam-se os interesses da pessoa (proprietário), do sujeito (moral) e do cidadão (sociedade e política).

Ora, enquanto os ideólogos alemães se contentam em ridicularizar o sistema hegeliano, permanecendo presos a ele sem saber, Marx critica radicalmente o idealismo hegeliano e por isso pode conservar sem risco muitas das contribuições do pensamento de Hegel. Vejamos como se passa da dialética idealista para a materialista.

Da concepção hegeliana, Marx conserva o conceito de dialética como movimento interno de produção da realidade cujo motor é a contradição. Porém, Marx demonstra que a contradição não é a do Espírito consigo mesmo, entre sua face subjetiva e sua face objetiva, entre sua exteriorização em obras e sua interiorização em ideias: a contradição se estabelece entre homens reais em condições históricas e sociais reais e chama-se *luta de classes*.

A história não é, portanto, o processo pelo qual o Espírito toma posse de si mesmo, não é história das realizações do Espírito. A história é história do modo real como os homens reais produzem suas condições reais de existência. É história do modo como se reproduzem a si mesmos (pelo consumo direto ou imediato dos bens naturais e pela pro--criação), como produzem e reproduzem suas relações com a natureza (pelo trabalho), do modo como produzem e reproduzem suas relações sociais (pela divisão social do trabalho e pela forma da propriedade, que constituem as formas das relações de produção). É também história do modo como os homens interpretam todas essas relações, seja numa interpretação imaginária, como na ideologia, seja numa interpretação real, pelo conhecimento da história que produziu ou produz tais relações.

Da concepção hegeliana, Marx também conserva as diferenças entre abstrato/concreto, imediato/mediato, aparecer/ser. Tanto assim que define o concreto como "unidade do diverso, síntese de muitas determinações", devendo-se entender o conceito de determinação não como sinônimo de conjunto de propriedades ou de características, mas como os resultados que constituem uma realidade no processo pelo qual ela é produzida. Ou seja, enquanto o conceito de "propriedades" ou de "características" pressupõe um objeto como dado e acabado, o conceito de "deter-minação" pressupõe uma realidade como um processo temporal.

Na *Contribuição à Crítica da Economia Política* e em *O Capital*, Marx afirma que o método histórico-dialético deve partir do que é mais abstrato ou mais simples ou mais imediato (o que se oferece à observação), percorrer o processo contraditório de sua constituição real e atingir o concreto como um sistema de mediações e de relações cada vez mais complexas e que nunca estão dadas à observação. Trata-se sempre de começar pelo *aparecer* social e chegar, pelas mediações reais, ao ser social. Trata-se também de mostrar como o ser do social determina o modo como este aparece aos homens.

Assim, por exemplo, a mercadoria será considerada a forma mais simples e mais abstrata do modo de produção capitalista, o qual aparece imediatamente para nós como uma imensa produção, acumulação, distribuição e consumo de mercadorias.

A análise da mercadoria revelará, por exemplo, que há mais mercadorias do que supúnhamos à primeira vista, pois um elemento fundamental do modo de produção capitalista, o trabalhador, que aparece como um ser humano, é, na verdade, uma mercadoria — ele vende no mercado sua força de trabalho.

Por outro lado, quando compreendemos qual é a gênese ou origem da mercadoria (as mediações que a constituem), compreendemos que não se trata de uma coisa tão simples como aparecia, pois ela é, ao mesmo tempo, valor de uso e valor de troca. Ela não é uma "coisa", mas um valor. Como valor de uso, parece valer por sua utilidade, e, como valor de troca, parece valer por seu preço no mercado.

Ora, as análises de Marx revelam que o valor de uso é inteiramente determinado pelas condições do mercado, de sorte que o valor de troca comanda o valor de uso. Ora, o valor de troca não é determinado pelo preço como parece à primeira vista. Isto é, o valor da mercadoria não surge no momento em que ela começa a circular no mercado e a ser consumida. Seu valor é produzido num outro lugar: ele é determinado pela quantidade de tempo de trabalho necessário para produzi-la. Esse tempo inclui não só o tempo gasto diretamente na fabricação dessa mercadoria, mas inclui o tempo de trabalho necessário para produzir as máquinas, o tempo para extrair e para transportar a matéria-prima etc. E o que são todos esses "tempos"? São tempos de trabalho da sociedade. Também entra no preço da mercadoria, como parte do chamado custo de produção, o salário pago pelo tempo de trabalho do trabalhador que fabrica essa mercadoria, pagamento que é feito para que ele se alimente, se aloje, se vista, se transporte e se reproduza, procriando filhos para o mesmo trabalho de produzir mercadorias.

Vemos, assim, que o valor de troca da mercadoria, o seu preço, envolve todos os outros tempos anteriores e posteriores ao tempo necessário para produzi-la e distribuí--la. No preço da mercadoria está incluído o gasto (físico, psíquico e econômico) para produzi-la. Ela não é uma coisa, mas trabalho social concentrado.

Como estabelecer o valor de troca entre um metro de linho e um quilo de ferro? Ser "valor" é "valer por algo", é ser *equivalente*. Como estabelecer a equivalência entre o metro de linho e o quilo de ferro? Por sua realidade material são heterogêneos, por seu valor de uso também são heterogêneos. Onde encontrar uma *medida comum* para dizermos que um metro de linho equivale a um quilo de ferro? A equivalência vai ser estabelecida medindo o tempo de trabalho social necessário para produzi-los. Ou seja, o tempo de trabalho que envolve toda a sociedade fundará o valor da troca. Vemos, portanto, que o preço da mercadoria no comércio é uma aparência, pois a determinação do valor dessa mercadoria depende do tempo de trabalho de sua produção, e esse tempo envolve o dos demais trabalhos que tornaram possível a fabricação dessa mercadoria.

Ora, sabemos que o produtor da mercadoria recebe um salário, que é o preço de seu tempo de trabalho, pois este também é uma mercadoria. Suponhamos, então, que, para fabricar um metro de linho e para extrair um quilo de ferro, os trabalhadores precisem de 8 horas de trabalho. Suponhamos que o preço desses produtos no mercado seja de R$ 16,00. Diremos, então, que cada hora de trabalho equivale a R$ 2,00. Porém, quando vamos verificar qual é o salário desses trabalhadores, descobrimos que não recebem

R$ 16,00, mas, sim, R$ 8,00. Há, portanto, 4 horas de trabalho que não foram pagas, apesar de estarem incluídas no preço final da mercadoria. Essas 4 horas de trabalho não pago constituem a mais-valia, o lucro do proprietário da mina de ferro ou do proprietário da fábrica de linho. Formam seu capital. A origem do capital, portanto, é o trabalho não pago. Graças à mais-valia, a mercadoria não é um valor de uso ou um valor de troca qualquer, mas um *valor capitalista*.

Vemos, pois, que a mercadoria não é uma coisa (como aparece), mas trabalho social, tempo de trabalho. E que não é qualquer tempo de trabalho, mas tempo de trabalho não pago, portanto a mercadoria oculta o fato de que há exploração econômica.

Estamos longe, agora, do aparecer social — estamos diante do modo de constituição real do sistema capitalista. Passamos de algo abstrato e imediato a algo concreto e mediato: passamos da mercadoria como coisa à mercadoria como valor de uso e de troca, destes à mercadoria como tempo de trabalho social, deste à mercadoria como trabalho não pago e, portanto, à forma de relação social entre o proprietário privado dos meios de produção e o trabalhador por ele explorado.

Da concepção hegeliana, Marx também conserva a afirmação de que a realidade é história e por isso é reflexiva, ou seja, realiza a reflexão. Em outras palavras, a realidade é um movimento de contradições que produzem e reproduzem o modo de existência social dos homens, e que, realizando uma volta completa sobre si mesma, pode conduzir à transformação desse modo de existência social. Ora, aqui surge um problema. Em Hegel não havia a menor dificuldade para considerar o real capaz de reflexão, pois o real era o Espírito, o Espírito era sujeito e todo sujeito era sujeito porque capaz de reflexão. Mas a dialética marxista não é espiritualista ou idealista, e sim materialista. Ora, a matéria, como provam as ciências naturais, é algo inerte, constituído por relações mecânicas de causa e efeito, de partes exteriores umas às outras, sendo inconcebível supor que haja interioridade naquilo que é material. E reflexão supõe uma interiorização, uma volta sobre si e para dentro de si. Como colocar reflexão na matéria? É que a matéria de que fala Marx não é a matéria física ou química, a coisa inerte que não possui atividade interna. A matéria de que fala Marx é a matéria social, isto é, as relações sociais entendidas como relações de produção, ou seja, como o modo pelo qual os homens produzem e reproduzem suas condições materiais de existência e o modo como pensam e interpretam essas relações. A matéria do materialismo histórico-dialético são os homens produzindo, em condições determinadas, seu modo de se reproduzirem como homens e de organizarem suas vidas como homens. Assim sendo, a reflexão não é impossível. Basta que percebamos que o sujeito da história, seu agente, embora não seja o Espírito, é sujeito: são as classes sociais em luta.

As classes sociais não são coisas nem ideias, mas são relações sociais determinadas pelo modo como os homens, na produção de suas condições materiais de existência, se dividem no trabalho, instauram formas determinadas da propriedade, reproduzem e legitimam aquela divisão e aquelas formas por meio das instituições sociais e políticas, representam para si mesmos o significado dessas instituições através de sistemas determinados de ideias que exprimem e escondem o significado real de suas relações. As classes sociais são o *fazer-se classe* dos indivíduos em suas atividades econômicas, políticas e culturais.

A dialética é materialista porque seu motor não é o trabalho do Espírito, mas o trabalho material propriamente dito: o trabalho como relação dos homens com a Natureza, para negar as coisas naturais enquanto naturais, transformando-as em coisas humanizadas ou culturais, produtos do trabalho. Mas o que interessa realmente à dialética materialista não é a simples relação dos homens com a Natureza através (pela mediação) do trabalho. O que interessa é a divisão social do trabalho e, portanto, a relação entre os próprios homens através do trabalho dividido. Essa divisão começa no trabalho sexual de procriação, prossegue na divisão de tarefas no interior da família, continua como divisão entre pastoreio e agricultura e entre estes e o comércio, caminha separando proprietários das condições do trabalho e trabalhadores, avança como separação entre cidade e campo e entre trabalho manual e trabalho intelectual. Essas formas da divisão social do trabalho, ao mesmo tempo em que determinam a divisão entre proprietários e não proprietários, entre trabalhadores e pensadores, determinam a formação das classes sociais e, finalmente, a separação entre sociedade e política, isto é, entre instituições sociais e Estado.

O motor da dialética materialista é a forma determinada das condições de trabalho, isto é, das condições de produção e reprodução da existência social dos homens, forma que é sempre determinada por uma contradição interna, isto é, pela luta de classes ou pelo antagonismo entre proprietários das condições de trabalho e não proprietários (servos, escravos, trabalhadores assalariados).

Enfim, da concepção hegeliana Marx também conserva o conceito de alienação, tendo como referência as análises de Feuerbach sobre a alienação religiosa. Para Feuerbach, a religião é a forma suprema da alienação humana, na medida em que ela é a projeção da essência humana num Ser superior, estranho e separado dos homens, um poder que os domina e governa porque não reconhecem que foi criado por eles próprios.

Todavia, Marx imprimirá grandes modificações nesse conceito. Contra Hegel, dirá que a alienação não é do Espírito, mas dos homens reais em condições reais.

Contra Feuerbach, dirá, em primeiro lugar, que não há uma "essência humana", pois o homem é um ser histórico que se faz diferentemente em condições históricas diferentes; e, em segundo lugar, que a alienação religiosa não é a forma fundamental da alienação, mas apenas um efeito de uma outra alienação real, que é a alienação do trabalho. O trabalho alienado é aquele no qual o produtor não se pode reconhecer no produto de seu trabalho porque as condições desse trabalho, suas finalidades reais e seu *valor* não dependem do próprio trabalhador, mas do proprietário das condições do trabalho. Como se não bastasse, o fato de que o produtor não se reconheça no seu próprio produto, não o *veja* como resultado de seu trabalho, faz com que o produto surja como um poder separado do produtor e como um poder que o domina e ameaça.

A elaboração propriamente materialista da alienação no modo de produção capitalista é feita por Marx em *O Capital*. Trata-se do *fetichismo da mercadoria*.

Que é a mercadoria? Trabalho humano concentrado e não pago. Por depender da forma da propriedade privada capitalista, que separa o trabalhador dos meios, instrumentos e condições da produção, a mercadoria é uma realidade social. No entanto, o trabalhador e os demais membros da sociedade capitalista não percebem que a mercadoria, por ser produto do trabalho, exprime relações sociais determinadas. Percebem a mercadoria como uma coisa dotada de *valor* de uso (utilidade) e de *valor* de troca (preço). Ela é percebida e consumida como uma simples coisa.

Assim, em lugar de a mercadoria aparecer como resultado de relações sociais enquanto relações de produção, ela aparece como um bem que se compra e se consome. Aparece como valendo por si mesma e em si mesma, como se fosse um dom natural das próprias coisas. Basta entrarmos num supermercado nos sábados à tarde para *vermos* o espetáculo de pessoas tirando de prateleiras mercadorias como se estivessem apanhando frutas numa árvore, para entendermos como a mercadoria desapareceu enquanto trabalho concentrado e não pago.

E como o dinheiro também é mercadoria (aquela mercadoria que serve para estabelecer um equivalente social geral para todas as outras mercadorias), tem início uma relação fantástica das mercadorias umas com as outras (a mercadoria R$ 18,00 se relaciona com a mercadoria sabonete Gessy, a mercadoria R$ 5.000,00 se relaciona com a mercadoria menino que faz pacotes etc.). As coisas-mercadorias começam, pois, a relacionarem-se umas com as outras como se fossem sujeitos sociais dotados de vida própria (um apartamento estilo "mediterrâneo" vale um "modo de viver", um cigarro vale "um estilo de viver", um automóvel zero km vale "um jeito de viver", uma bebida vale "a alegria de viver", uma calça vale "uma vida jovem" etc.). E os homens-mercadorias aparecem como coisas (um nordestino vale R$ 20,00 a hora, na construção civil, um médico vale R$ 2.000,00 a hora, no seu consultório, etc.). A mercadoria passa a ter vida própria, indo da fábrica à loja, da loja à casa, como se caminhasse sobre seus próprios pés.

O primeiro momento do fetichismo é este: a mercadoria é um fetiche (no sentido religioso da palavra), uma coisa que existe em si e por si.

O segundo momento do fetichismo, mais importante, é o seguinte: assim como o fetiche religioso (deuses, objetos, símbolos, gestos) tem poder sobre seus crentes ou adoradores, domina-os como uma força estranha, assim também age a mercadoria. O mundo transforma-se numa imensa fantasmagoria.

Como, então, aparecem as relações sociais de trabalho? Como relações materiais entre sujeitos humanos e como relações sociais entre coisas. E Marx afirma que as relações sociais aparecem tais como efetivamente são. Que significa dizer que a aparência social é a própria realidade social? Significa mostrar que no modo de produção capitalista os homens realmente são transformados em coisas e as coisas são realmente transformadas em "gente".

Como efeito, o trabalhador passa a ser uma coisa denominada força de trabalho, que recebe uma outra coisa chamada salário. O produto trabalho passa a ser uma coisa chamada mercadoria, que possui uma outra coisa, isto é, um preço. O proprietário das condições de trabalho e dos produtos do trabalho passa a ser uma coisa chamada capital, que possui uma outra coisa, a capacidade de ter lucros. Desaparecem os seres humanos, ou melhor, eles existem sob a forma de coisas (donde o termo usado por Lucáks: reificação; do latim: *res*, que significa coisa).

Em contrapartida, as coisas produzidas e as relações entre elas (produção, distribuição, circulação, consumo) humanizam-se e passam a ter relações sociais. Produzir, distribuir, comerciar, acumular, consumir, investir, poupar, trabalhar, todas essas atividades econômicas começam a funcionar e a operar sozinhas, por si mesmas, com uma lógica que emana delas próprias, independentemente dos homens que as realizam. Os homens tornam-se os suportes dessas operações, instrumentos delas.

Alienação, reificação, fetichismo: é esse processo fantástico no qual as atividades humanas começam a realizar-se como se fossem autônomas ou independentes dos homens e passam a dirigir e comandar a vida dos homens, sem que estes possam controlá-las. São ameaçados e perseguidos por elas. Tornam-se objetos delas. Basta pensar no trabalho submetido às "vontades" da máquina regulada por um "cérebro eletrônico", ou no indivíduo que, jogando na bolsa de valores de São Paulo, tem sua vida determinada pela falência de um banco numa cidade de interior da Europa, de que nunca ouviu falar.

Quando Marx afirma que as relações sociais capitalistas aparecem tais como são, que o aparecer e o ser da sociedade capitalista se identificaram, ele o diz por que houve uma gigantesca inversão na qual o social vira coisa e a coisa vira social. É isto a realidade capitalista.

Uma pergunta nos vem agora: por que os homens conservam essa realidade? Como se explica que não percebam a reificação? Como entender que o trabalhador não se revolte contra uma situação na qual não só lhe foi roubada a condição humana, mas ainda é explorado naquilo que faz, pois seu trabalho não pago (a mais-valia) é o que mantém a existência do capital e do capitalista? Como explicar que essa realidade nos apareça como natural, normal, racional, aceitável? De onde vem o obscurecimento da existência das contradições e dos antagonismos sociais? De onde vem a não percepção da existência das classes sociais, uma das quais vive da exploração e dominação das outras? A resposta a essas questões nos conduz diretamente ao fenômeno da ideologia.

* * *

Nas considerações sobre "a ideologia em geral", Marx e Engels determinam o momento de surgimento das ideologias no instante em que a divisão social do trabalho separa trabalho material ou manual de trabalho intelectual. Para compreendermos por que esta separação aparecerá como independência das ideias com relação ao real e, posteriormente, como privilégio destas sobre aquele, precisamos acompanhar em linhas gerais o processo da divisão social do trabalho, tal como Marx e Engels o expõem em *A Ideologia Alemã*.

* * *

Os homens, escrevem Engels e Marx, distinguem-se dos animais não porque têm consciência (como dizem os ideólogos burgueses), mas porque *produzem* as condições de sua própria existência material e espiritual. São o que produzem e são *como* produzem.

Essa produção das condições de existência depende de condições naturais (as do meio ambiente e as biofisiológicas do organismo humano) e do aumento da população pela procriação. Esta, além de ser natural, já é também social, pois determina a forma de intercâmbio e de cooperação entre os homens, forma esta que, por sua vez, determina a forma da produção na divisão do trabalho.

A produção e reprodução das condições de existência através do trabalho (relação com a natureza), da divisão do trabalho (relação de intercâmbio e de cooperação entre os homens), da procriação (sexualidade e família) constituem em cada época o conjunto das *forças produtivas* que determinam e são determinadas pela divisão social do trabalho. Essa divisão, que já se inicia na própria família, conduz à separação entre pastoreio e agricultura, entre ambos e a indústria e entre os três e o comércio. Estas separações conduzem à separação entre cidade e campo, ao mesmo tempo em que, no interior de cada esfera de atividade, novas formas de divisão do trabalho desenvolvem-se.

A divisão social do trabalho não é uma simples divisão de tarefas, mas a manifestação de algo fundamental na existência histórica: a existência de diferentes formas da propriedade, isto é, a divisão entre as condições e instrumentos ou meios do trabalho e o próprio trabalho, incidindo, por sua vez, na desigual distribuição do produto do trabalho. Numa palavra: a divisão social do trabalho engendra e é engendrada pela desigualdade social ou pela forma da propriedade.

A propriedade começa como propriedade tribal, e a estrutura social é a de uma família ampliada e hierarquizada por tarefas, funções, poderes e consumo. A segunda forma da propriedade é a comunal ou estatal, isto é, propriedade privada coletiva dos cidadãos ativos do Estado (Grécia, Roma, por exemplo), e a estrutura da sociedade é constituída pela divisão entre senhores (cidadãos) e escravos. Esta separação permite aos senhores distanciarem-se da terra e dos ofícios, que ficam a cargo dos escravos — esta separação leva os senhores a viverem nas cidades, e a partir daí se estabelece a separação entre a cidade e o campo, da qual resultarão lutas sociais e políticas. A terceira forma da propriedade é a feudal ou estamental, e apresenta-se como propriedade privada territorial trabalhada por servos da gleba e como propriedade dos instrumentos de trabalho, pelos artesãos livres ou oficiais das corporações que vivem nos burgos (cidades medievais). A estrutura da sociedade cria os proprietários como nobreza feudal e como oficiais livres dos burgos, e os trabalhadores como servos da terra enfeudada e como aprendizes nas corporações dos burgos. Junto a eles, há uma figura social intermediária: o comerciante. As transformações dessa estrutura social, ou seja, da forma da propriedade e da divisão do trabalho, dão origem à forma da propriedade que conhecemos: a propriedade privada capitalista. Aqui a divisão social do trabalho alcança seu ápice: de um lado, os proprietários privados do capital (portanto, dos meios, condições e instrumentos da produção e da distribuição), que são também os proprietários do produto do trabalho, e, de outro lado, a massa dos assalariados ou dos trabalhadores despossuídos, que dispõem exclusivamente de sua força de trabalho, que vendem como mercadoria ao proprietário do capital.

Na *Ideologia Alemã*, Marx expõe de modo muito breve a passagem dessas formas da propriedade ou da divisão social do trabalho, cujas transformações constituem o solo real da história real. Nos *Fundamentos para a Contribuição à Crítica da Economia Política*, Marx retoma a exposição de maneira extremamente minuciosa, corrige várias das afirmações feitas na *Ideologia Alemã*, introduz novas determinações na forma da propriedade e, sobretudo, define a relação de produção a partir do processo de constituição das forças produtivas na divisão social do trabalho, introduzindo o conceito, inexistente no texto da *Ideologia Alemã,* de *modo de produção*. Este não é um dado, mas uma *forma social* criada pelas ações econômicas e políticas dos agentes sociais (independentemente de sua vontade e de sua consciência). É o sistema das relações de produção e de suas representações por meio de categorias jurídicas, políticas, culturais etc.

A consciência, prossegue o texto de *A Ideologia Alemã*, estará indissoluvelmente ligada às condições materiais de produção da existência, das formas de intercâmbio e de cooperação, e as ideias nascem da atividade material. Isso não significa, porém, que os homens representem nessas ideias a realidade de suas condições materiais, mas, ao contrário, representam o modo como essa realidade lhes *aparece* na experiência imediata. Por esse motivo, as ideias tendem a ser uma representação invertida do processo real, colocando como origem ou como causa aquilo que é efeito ou consequência, e vice-versa.

Assim, por exemplo, a Natureza, tal como se exprime nas ideias da religião natural, não surge como relação dos homens com um meio trabalhado por eles, mas é representada como um poder separado, estranho, insondável e que comanda de fora as ações humanas.

Também as relações sociais são representadas imediatamente pelas ideias de maneira invertida. Com efeito, à medida que uma forma determinada da divisão social do trabalho se estabiliza, se fixa e se repete, cada indivíduo passa a ter uma atividade determinada e exclusiva que lhe é atribuída pelo conjunto das relações sociais, pelo estágio das forças produtivas e, evidentemente, pela forma da propriedade. Cada um não pode escapar da atividade que lhe é socialmente imposta. A partir desse momento, todo o conjunto das relações sociais aparece nas ideias como se fosse coisa em si, existente por si mesma, e não como consequência das ações humanas. Pelo contrário, as ações humanas são representadas como decorrentes da sociedade, que é vista como existindo por si mesma e dominando os homens. Se a Natureza, pelas ideias religiosas, se "humaniza" ao ser divinizada, em contrapartida a Sociedade se "naturaliza", isto é, aparece como um dado natural, necessário e eterno, e não como resultado da *práxis* humana."Esta fixação da atividade social — esta consolidação de nosso próprio produto num poder objetivo superior a nós, que escapa de nosso controle, que contraria nossas expectativas e reduz a nada nossos cálculos — é um dos momentos fundamentais do desenvolvimento histórico que até aqui tivemos."

A forma inicial da consciência é, portanto, a alienação, pois os homens não se percebem como produtores da sociedade, transformadores da natureza e inventores da religião, mas julgam que há um *alienus*, um Outro (deus, natureza, chefes) que definiu e decidiu suas vidas e a forma social em que vivem. Submetem-se ao poder que conferem a esse Outro e não se reconhecem como criadores dele. E porque a alienação é a manifestação inicial da consciência, a ideologia será possível: as ideias serão tomadas como anteriores à práxis, como superiores e exteriores a ela, como um poder espiritual autônomo que comanda a ação material dos homens.

A divisão social do trabalho torna-se completa quando o trabalho material e o espiritual separam-se.

Somente com essa divisão "a consciência pode realmente imaginar ser diferente da consciência da *práxis* existente, representar *realmente* algo, sem representar *algo real*. Desde esse instante, a consciência está em condições de emancipar-se do mundo e entregar-se à construção da teoria, da teologia, da filosofia, da moral etc.'puras'".

Nasce agora a ideologia propriamente dita, isto é, o sistema ordenado de ideias ou representações e das normas e regras como algo separado e independente das condições materiais, visto que seus produtores — os teóricos, os ideólogos, os intelectuais — não estão diretamente vinculados à produção material das condições de existência. E, sem perceber, exprimem essa desvinculação ou separação através de suas ideias. Ou seja: as ideias aparecem como produzidas somente pelo pensamento, porque os seus pensadores estão distanciados da produção material. Assim, em lugar de aparecer que os pensadores estão distanciados do mundo material e por isso suas ideias revelam tal separação, o que aparece é que as ideias é que estão separadas do mundo e o explicam. As ideias não aparecem como produtos do pensamento de homens determinados — aqueles que estão fora da produção material direta —, mas como entidades autônomas descobertas por tais homens.

As ideias podem parecer estar em contradição com as relações sociais existentes, com o mundo material dado, porém essa contradição não se estabelece realmente entre as ideias e o mundo, mas é uma consequência do fato de que o mundo social é contraditório. Porém, como as contradições reais permanecem ocultas (são as contradições entre as relações de produção ou entre as forças produtivas e as relações sociais), parece que a contradição real é aquela entre as ideias e o mundo. Assim, por exemplo, faz parte da ideologia burguesa afirmar que a educação é um direito de todos os homens. Ora, na realidade sabemos que isso não ocorre. Nossa tendência, então, será dizer que há uma contradição entre a ideia de educação e a realidade. Na verdade, porém, essa contradição existe porque simplesmente exprime, sem saber, uma outra: a contradição entre os que produzem a riqueza material e cultural com seu trabalho e aqueles que usufruem dessas riquezas, excluindo delas os produtores. Porque estes encontram-se excluídos do direito de usufruir dos bens que produzem, estão excluídos da educação, que é um desses bens. Em geral, o pedreiro que faz a escola e o marceneiro que faz as carteiras, mesas e lousas são analfabetos e não têm condições de enviar seus filhos para a escola que foi por eles produzida. Essa é a contradição real, da qual a contradição entre a ideia de "direito de todos à educação" e uma sociedade de maioria analfabeta é apenas o efeito ou a consequência.

Em suma, Engels e Marx consideram que os três aspectos que são condições para que haja história — força de produção, relações sociais e consciência — podem entrar e efetivamente entram em contradição como resultado da divisão social do trabalho material e intelectual, porque, agora, o trabalho e a fruição, a produção e o consumo aparecem como realmente são, isto é, cabendo a indivíduos diferentes. Instalou-se para a própria consciência imediata dos homens a percepção da desigualdade social: uns pensam, outros trabalham; uns consomem, outros produzem e não podem consumir os produtos de seu trabalho.

Outra contradição mais aguda ainda surge: a contradição entre os interesses de um indivíduo ou de uma família particular e os interesses coletivos. No entanto, diferentemente de Hegel, Marx e Engels demonstram que tais interesses não são realmente coletivos ou comuns, mas apenas o sistema social de dependência recíproca dos indivíduos entre os quais o trabalho, os meios e condições do trabalho e os produtos do trabalho estão desigualmente distribuídos.

Existem conflitos entre os proprietários e existem contradições entre os proprietários e os não proprietários. Há oposição entre os interesses dos proprietários e há contradição entre os interesses de todos os proprietários e os de todos os não proprietários. Os conflitos (entre proprietários) e a contradição (entre proprietários e não proprietários) aparecem para a consciência dos sujeitos sociais como se fossem conflitos entre o interesse particular e o interesse comum ou geral. Na realidade, porém, há antagonismos entre classes sociais particulares, pois onde houver propriedade privada não pode haver interesse social comum.

"É justamente desta contradição entre o interesse particular e o suposto interesse coletivo que este último toma, na qualidade de *Estado*, uma forma autônoma, separada dos reais interesses particulares e gerais e, ao mesmo tempo, na qualidade de comunidade ilusória, mas sempre sobre a base real dos laços existentes em cada conglomerado familiar ou tribal — tais como laços de sangue, linguagem, divisão do trabalho em maior escala e outros interesses —, e, sobretudo, como desenvolveremos adiante, baseada nas classes sociais já condicionadas pela divisão social do trabalho, que se isolam em cada um desses conglomerados humanos e entre as quais há uma que domina as outras todas (...) O poder social, isto é, a força produtiva unificada multiplicada, que nasce da cooperação de vários indivíduos exigida pela divisão do trabalho, aparece para esses indivíduos não como seu próprio poder unificado, mas como uma força estranha situada fora deles, cuja origem e cujo destino ignoram e que, pelo contrário, percorre agora uma série particular de fases e de estágios de desenvolvimento, independente do querer e do agir dos homens e que, na verdade, dirige esse querer e esse agir".

Assim como da divisão entre trabalho material e intelectual nasce a suposição de uma autonomia das ideias, como se fossem ou como se tivessem uma realidade própria independente dos homens, assim também da separação entre os homens em classes sociais particulares com interesses particulares contraditórios nasce a ideia de um interesse geral ou comum que se encarna numa instituição determinada: o Estado.

O Estado *aparece* como a realização do interesse geral (por isso Hegel dizia que o Estado era a universalidade da vida social), mas, na realidade, ele é a forma pela qual os interesses da parte mais forte e poderosa da sociedade (a classe dos proprietários) ganham a aparência de interesses de toda a sociedade.

O Estado não é um poder distinto da sociedade, que a ordena e regula para o interesse geral definido por ele próprio enquanto poder separado e acima das particularidades dos interesses de classe. Ele é a preservação dos interesses particulares da classe que domina a sociedade. Ele exprime na esfera da política as relações de exploração que existem na esfera econômica.

O Estado é uma comunidade ilusória. Isso não quer dizer que seja falso, mas, sim, que ele aparece como comunidade porque é assim percebido pelos sujeitos sociais. Estes precisam dessa figura unificada e unificadora para conseguirem tolerar a existência das divisões sociais, escondendo que tais divisões permanecem através do Estado. O Estado é a expressão política da sociedade civil enquanto dividida em classes. Não é, como imaginava Hegel, a superação das contradições, mas a vitória de uma parte da sociedade sobre as outras.

Como, porém, o Estado não poderia realizar sua função apaziguadora e reguladora da sociedade (em benefício de uma classe) se aparecesse como realização de interesses particulares, ele precisa aparecer como uma forma muito especial de dominação: uma dominação impessoal e anônima, a dominação exercida através de um mecanismo impessoal que são as leis ou o Direito Civil. Graças às leis, o Estado aparece como um poder que não pertence a ninguém. Por isso, diz Marx, em lugar de o Estado aparecer como poder social unificado, aparece como um poder desligado dos homens. Por isso, também, em lugar de ser dirigido pelos homens, aparece como um poder cuja origem e finalidade permanecem secretos e que dirige os homens. Enfim, como o Estado ganhou autonomia, ele parece ter sua própria história, suas fases e estágios próprios, sem nenhuma dependência da história social efetiva.

Está aberto o caminho para a ideologia política que explicará a sociedade através das formas dos regimes políticos (aristocracia, monarquia, democracia, tirania, anarquia) e que explicará a história pelas transformações do Estado (passagem de um regime político para outro).

A divisão social, que separa proprietários e destituídos, exploradores e explorados, que separa intelectuais e trabalhadores, sociedade civil e Estado, interesse privado e interesse geral, é uma situação que não será superada por meio de teorias, nem por uma transformação da consciência, visto que tais separações não foram produzidas pela teoria nem pela consciência, mas pelas relações sociais de produção e suas representações pensadas.

Assim, a transformação histórica capaz de ultrapassar essas divisões e as contradições que as sustentam depende de pressupostos (condições ou precondições) *práticos*, e não teóricos. Esses pressupostos ou precondições práticos são:

1) surgimento da massa da humanidade como massa inteiramente destituída de propriedade e em contradição com um mundo da cultura e da riqueza produzido por essa massa, que se encontra excluída da abundância por ela produzida; é fundamental, diz Marx, que haja total desenvolvimento das forças produtivas (capitalistas), isto é, que tenha sido produzido um mundo cultural e material abundante, pois, sem isso, a massa revolucionária teria de recomeçar o processo histórico partindo da carência e da escassez, da luta pela sobrevivência material imediata, e seria obrigada a repor as divisões e contradições que pretendia superar;

2) que a divisão entre os proprietários privados das condições de produção e a massa destituída seja um fenômeno universal, de modo que, quando a massa destituída de um país iniciar sua revolução, seja acompanhada pela revolução de todas as massas do planeta; em outras palavras, é preciso que o modo de produção capitalista tenha se tornado um processo histórico mundial ou universal para que uma revolução plena possa efetuar-se. O capitalismo como *mercado mundial* é, portanto, o pressuposto prático do comunismo como sociedade na qual os indivíduos exercerão o controle consciente dos poderes que parecem dominá-los de fora (Natureza, Mercado, Estado).

A massa dos explorados enfim compreenderá que esses poderes foram produzidos pela *práxis* social e que, por serem produtos da atividade histórica dos homens em condições determinadas, também podem ser destruídos pela prática social dos homens em condições determinadas. Até agora os homens fizeram a história, mas sem saber que a faziam, pois, ao fazê-la em condições determinadas que não foram escolhidas por eles, tomavam tais condições como poderes exteriores e dominadores que os compeliam a agir. Com a revolução comunista, os homens saberão que fazem a história, mesmo que não tenham escolhido as condições em que a fazem.

Sem as condições materiais da revolução, é inútil a *ideia* de revolução, "já proclamada centenas de vezes". Mas sem a compreensão intelectual dessas condições materiais, a revolução permanece como um horizonte desejado, sem encontrar práticas que a efetivem.

A história não é o desenvolvimento das ideias, mas o das forças produtivas. Não é a ação dos Estados e dos governantes, mas a luta das classes. Não é história das mudanças de regimes políticos, mas a das relações de produção que determinam as forças políticas da dominação. Assim sendo, qual é o palco onde se desenvolve a história? A sociedade civil.

A sociedade civil não é o aglomerado conflitante de famílias e de corporações (sindicatos, trustes, cartéis, *holdings*, oligopólios) que serão reconciliados graças à ação reguladora e ordenadora do Estado enquanto expressão do interesse geral. A sociedade civil é o sistema de relações sociais que se organizam na produção econômica, nas instituições sociais e políticas, e que são representadas ou interpretadas por um conjunto sistemático de ideias jurídicas, religiosas, políticas, morais, pedagógicas, científicas, artísticas, filosóficas.

A sociedade civil é o processo de constituição e de reposição das condições materiais de existência, isto é, da produção (trabalho, divisão do trabalho, processo de trabalho, forma de distribuição e de consumo, circulação, acumulação e concentração da riqueza), por meio das quais são engendradas as classes sociais (exploradores e explorados, isto é, a contradição entre proprietários e não proprietários). A relação entre as classes assim produzidas é contraditória porque a condição necessária e suficiente para que haja proprietários privados é a existência dos não proprietários. Ou seja, a existência da classe dos proprietários depende inteiramente da existência da classe dos não proprietários, e esta última nasce do processo pelo qual alguns proprietários conseguem expropriar todos os outros e conseguem reduzir todo o restante da sociedade (escravos, servos, artesãos) à condição de assalariados. Em uma palavra, no caso da sociedade civil capitalista, afirmar que a existência dos proprietários (da classe capitalista) depende da exploração dos não proprietários (trabalhadores assalariados) significa simplesmente o seguinte: o capital é o trabalho *não pago* (a mais-valia). Temos uma contradição na medida em que a realidade do capital é a negação do trabalho.

A sociedade civil realiza-se através de um conjunto de instituições sociais encarregadas de permitir a reprodução ou a reposição das relações sociais — família, escola, igrejas, polícia, partidos políticos, imprensa, meios de informação, magistraturas, Estado etc. Ela é também o lugar onde essas instituições e o conjunto das relações sociais são pensados ou interpretados por meio das ideias — jurídicas, pedagógicas, morais, religiosas, científicas, filosóficas, artísticas, políticas etc.

Produzida pela divisão social do trabalho, que a cinde em classes contraditórias, a sociedade civil realiza-se como luta de classes. A luta de classes não é apenas o confronto armado das classes, mas está presente em todos os procedimentos institucionais, políticos, policiais, legais, ilegais de que a classe dominante lança mão para manter sua dominação, indo desde o modo de organizar o processo de trabalho (separando os trabalhadores uns dos outros e separando a esfera de decisão e de controle do trabalho da esfera de execução, deixando esta última para os trabalhadores) e o modo de apropriar-se dos produtos (pela exploração da mais-valia e pela exclusão dos trabalhadores do usufruto dos bens que produziram), até as normas do Direito e o funcionamento do Estado. Ela está presente também em todas as ações dos trabalhadores da cidade e do campo para diminuir a dominação e a exploração, indo desde a luta pela diminuição da jornada de trabalho, o aumento de salários, as greves, a criação de sindicatos livres, até a formação de movimentos políticos para derrubar a classe dominante. A luta de classes é o quotidiano da sociedade civil. Está na política salarial, sanitária e educacional, está na propaganda e no consumo, está nas greves e nas eleições, está nas relações entre pais e filhos, professores e estudantes, policiais e povo, juízes e réus, patrões e empregados.

Se a história é história da luta de classes, então a sociedade civil não é *A Sociedade*, isto é, uma espécie de grande indivíduo coletivo, um organismo feito de partes ou de órgãos funcionais que ora estão em harmonia, ora estão em conflito, ora estão bem regulados, ora estão em crise. A sociedade civil concebida como um indivíduo coletivo é uma das grandes ideias da ideologia burguesa para ocultar que a sociedade civil é a produção e reprodução da divisão em classes e é luta das classes. Isso significa que a sociedade não pode ser o sujeito da história, criando-se e recriando-se a si mesma em passes de mágica. A história são "os indivíduos fazendo-se uns aos outros, tanto física quanto espiritualmente". Esse "fazer-se uns aos outros" é a *práxis* social e significa:

1) que as classes sociais não estão feitas e acabadas pela sociedade, mas estão se fazendo umas às outras por

sua ação, e esta ação produz o movimento da sociedade civil;

2) que o conjunto das práticas sociais, tanto materiais quanto espirituais, fazendo os indivíduos existirem como seres contraditórios, faz deles membros de uma classe social, isto é, participantes de formas diferenciadas de existência social, determinadas pelas relações econômicas de produção, pelas instituições sociopolíticas e pelas ideias ou representações. O sujeito da história, portanto, são as classes sociais.

Ora, Marx e Engels mostram que as relações dos indivíduos com sua classe são relações alienadas. Ou seja, assim como a Natureza, a Sociedade e o Estado *aparecem* para a consciência imediata dos indivíduos com os poderes separados e estranhos que os dominam e governam, assim também a relação dos indivíduos com a classe lhes *aparece* imediatamente como uma relação com algo já dado e que os determina a ser, agir e pensar de uma forma fixa e determinada. A classe ganha autonomia com relação aos indivíduos, de modo que, em lugar de aparecer como resultante da ação deles, aparece de maneira invertida, isto é, causando as ações deles.

"A classe se autonomiza em face dos indivíduos, de sorte que estes últimos encontram suas condições de vida preestabelecidas e têm, assim, sua posição na vida e o seu desenvolvimento pessoal determinados pela classe.

Tornam-se subsumidos a ela. Trata-se do mesmo fenômeno que o da subsunção dos indivíduos isolados à divisão do trabalho, e tal fenômeno não pode ser suprimido se não se supera a propriedade privada e o próprio trabalho. Indicamos várias vezes que essa subsunção dos indivíduos à classe determina e se transforma, ao mesmo tempo, em sua subsunção a todo tipo de representações."

Essa última frase de Marx e de Engels é fundamental para compreendermos a relação entre alienação e ideologia.

A ideologia não é um processo subjetivo consciente, mas um fenômeno objetivo e subjetivo involuntário produzido pelas condições objetivas da existência social dos indivíduos. Ora, a partir do momento em que a relação do indivíduo com sua classe é a da submissão a condições de vida e de trabalho prefixadas, essa submissão faz com que cada indivíduo não possa se reconhecer como fazedor de sua própria classe. Ou seja, os indivíduos não podem perceber que a *realidade* da classe decorre da *atividade* de seus membros. Pelo contrário, a classe aparece como uma coisa em si e por si e da qual o indivíduo se converte numa parte, quer queira, quer não. É uma fatalidade do destino. A classe começa, então, a ser representada pelos indivíduos como algo natural (e não histórico), como um fato bruto que os domina, como uma "coisa" que vivem. A ideologia burguesa, através de uma ciência chamada Sociologia, transforma em ideia científica ou em objeto científico essa "coisa" denominada "classe social", estudando-a como um fato e não como resultado da ação dos homens.

A ideologia burguesa, através de seus intelectuais, irá produzir ideias que confirmem essa alienação, fazendo, por exemplo, com que os homens creiam que são desiguais por natureza e por talentos, ou que são desiguais por desejo próprio, isto é, os que honestamente trabalham enriquecem, e os preguiçosos empobrecem. Ou então faz com que creiam que são desiguais por natureza, mas que a vida social, permitindo a todos o direito de trabalhar, lhes dá iguais chances de melhorar — ocultando, assim, que os que trabalham não são senhores de seu trabalho e que, portanto, suas "chances de melhorar" não dependem deles, mas de quem possui os meios e as condições do trabalho. Ou, ainda, faz com que os homens creiam que são desiguais por natureza e pelas condições sociais, mas que são iguais perante a lei e perante o Estado, escondendo que a lei foi feita pelos dominantes e que o Estado é instrumento dos dominantes.

Marx e Engels insistem em que não devemos tomar o problema da alienação como ponto de partida necessário para a transformação histórica. Ou seja, não devemos esperar que, através da simples crítica da alienação, haja uma modificação na consciência dos homens e que, graças a essa modificação, que é uma mudança subjetiva, haverá uma mudança objetiva. Insistem em que a alienação é um fenômeno objetivo (algo produzido pelas condições reais de existência dos homens) e não um simples fenômeno subjetivo, isto é, um engano de nossa consciência.

A alienação é um processo ou o processo social como um todo. Não é produzida por um erro da consciência que se desvia da verdade, mas é resultado da própria ação social dos homens, da própria atividade material quando esta se separa deles, quando não a podem controlar e são ameaçados e governados por ela. A transformação deve ser simultaneamente subjetiva e objetiva: a prática dos homens precisa ser diferente para que suas ideias sejam diferentes.

"Todas as formas e todos os produtos da consciência não podem ser dissolvidos por força da crítica espiritual (como pretendiam os ideólogos alemães), pela dissolução dos fantasmas por ação da 'autoconsciência' ou pela transformação dos 'fantasmas', dos 'espectros', das 'visões' (maneira pela qual os ideólogos alemães descreviam a alienação). Só podem ser dissolvidos pela derrocada prática das relações reais das quais emanam essas tapeações idealistas. Não é crítica, mas a revolução, a força motriz da história".

Com isso, Marx e Engels dão à teoria um sentido inteiramente novo enquanto crítica revolucionária: a teoria não está encarregada de "conscientizar" os indivíduos, não está encarregada de criar a consciência verdadeira para opô-la à consciência falsa, e com isso mudar o mundo. A teoria está encarregada de desvendar os processos reais e históricos enquanto resultados e enquanto condições da prática humana em situações determinadas, prática que dá origem à existência e à conservação da dominação de uns poucos sobre todos os outros. A teoria está encarregada de apontar os processos objetivos que conduzem à exploração e à dominação, e aqueles que podem conduzir à liberdade.

Percebemos, então, que a teoria — ao contrário da ideologia — não está encarregada de tomar o lugar da prática, fazendo a realidade depender das ideias. Também não está encarregada de guiar a prática, fazendo com que a atividade histórica dependa da consciência "verdadeira". E também não está encarregada de se inutilizar enquanto teoria para valorizar apenas a prática, visto que a alienação prática reproduz a prática alienada.

A relação entre teoria e prática é revolucionária porque é dialética. Vimos que a dialética é o movimento das contradições e que a contradição é a existência de uma relação de negação interna entre termos que só existem graças a essa negação. Que significa dizer que a relação entre teoria e prática é dialética e não ideológica (como aquela relação que mostramos ser feita pelos positivistas)? A relação entre teoria e prática é uma relação simultânea e recíproca, por meio da qual a teoria nega a prática enquanto prática imediata, isto é, nega a prática como um fato dado, para revelá-la em suas mediações e como *práxis* social, ou seja, como atividade socialmente produzida e produtora da existência social. A teoria nega a prática como comportamento e ação dados, mostrando que se tratam de processos históricos determinados pela ação dos homens que, depois, passam a determinar suas ações. Revela o modo pelo qual criam suas condições de vida e são, depois, submetidos por essas próprias condições.

A prática, por sua vez, nega a teoria como um saber separado e autônomo, como puro movimento de ideias se produzindo umas às outras na cabeça dos teóricos. Nega a teoria como um saber acabado que guiaria e comandaria de fora a ação dos homens. E negando a teoria enquanto saber separado do real que pretende governar esse real, a prática faz com que a teoria se descubra como conhecimento das condições reais da prática existente, de sua alienação e de sua transformação. Por isso, Marx e Engels afirmam que conhecem um único tipo de saber: a ciência da história.

"Toda concepção histórica, até o momento, ou tem omitido completamente a base real da história (forças de produção, capitais, divisão social do trabalho, propriedade, formas sociais de intercâmbio que cada geração encontra como produto da geração precedente e que a atual reproduz e transforma, alterando a forma da luta de classes), ou a tem considerado algo secundário, sem qualquer conexão com o curso da história. Isso faz com que a história deva sempre ser escrita de acordo com um critério situado fora dela. A produção da vida real aparece como algo separado da vida comum, como algo extra e supraterrestre. Com isso, a relação dos homens com a Natureza é excluída da História, o que engendra a oposição entre Natureza e História. Consequentemente, tal concepção apenas vê na História as ações políticas dos Príncipes e do Estado, as lutas religiosas e as lutas teóricas em geral, e vê-se obrigada a *compartilhar*, em cada época, a *ilusão dessa época*. Por exemplo, se uma época imagina ser determinada por motivos puramente 'políticos' ou 'religiosos', embora a 'política' e a 'religião' sejam apenas formas aparentes de seus motivos reais, então o historiador dessa época considerada aceita essa opinião. A 'imaginação', a 'representação' que homens historicamente determinados fizeram de sua *práxis* real transforma-se, na cabeça do historiador, na única força determinante e ativa que domina e determina a *práxis* desses homens. Quando a forma sob a qual se apresenta a divisão do trabalho entre os hindus e entre os egípcios suscita nesses povos um regime de castas próprio de seu Estado e de sua religião, o historiador crê que o regime de castas é a força que engendrou essa forma social. Enquanto os franceses e os ingleses se atêm à ilusão política (isto é, tomam as formas e forças políticas como determinantes do processo histórico), o que está certamente mais próximo da realidade, os alemães movem-se na esfera do 'espírito puro' e fazem da ilusão religiosa a força motriz da história."

Uma vez postas como forças históricas motrizes aquelas forças (políticas, religiosas, culturais etc.) que, na verdade, são determinadas pelas forças reais, todo o processo histórico fica invertido ou de ponta-cabeça. Assim, acontecimentos históricos posteriores são convertidos na "finalidade" da história anterior. É o que ocorre quando se explica a descoberta da América como um acontecimento que teve por finalidade auxiliar o surgimento da Revolução Francesa. Ou quando se explica o episódio da Inconfidência Mineira como tendo a finalidade de preparar o da Independência.

Na medida em que as forças reais, que explicam o processo de surgimento de um acontecimento, permanecem ignoradas ou escondidas, o historiador ideólogo inventa causas e finalidades que acabam convertendo a história numa entidade autônoma que possui seu próprio sentido e caminha por sua própria conta, usando os homens como seus instrumentos ocasionais. Estamos, aqui, longe da realidade histórica e diante da ideia da história.

É assim, por exemplo, que a ideologia burguesa tende a explicar a história através da ideia de progresso, isto é, de um processo contínuo de evolução que vai rumo ao melhor e ao que é superior. Como a burguesia se vê a si mesma como uma força progressista, porque usa as técnicas e as ciências para um aumento total do controle sobre a Natureza e a sociedade, e julga que esse domínio das forças naturais e sociais é o progresso e algo bom, considera que todo o real se explica em termos de progresso. O historiador ideólogo constrói a ideia de progresso histórico concebendo-o como a realização, no tempo, de algo que já existia antes de forma embrionária e que se desenvolve até alcançar seu ponto final necessário. Visto que a finalidade do processo já está dada (isto é, já se sabe de antemão qual vai ser o futuro), e visto que o progresso é uma "lei" da história, esta irá alcançar necessariamente o fim conhecido. Com isso, os homens tornam-se instrumentos ou meios para a "história" realizar seus fins próprios, e são justificadas todas as ações que se realizam "em nome do progresso".

Dessa maneira, não só os acontecimentos históricos são explicados de modo invertido (o fim explica o começo), mas tal "explicação" ainda permite que a classe dominante justifique suas ações, fazendo-as aparecer como as "razões da história". Atribui-se à história uma racionalidade que é apenas a legitimação dos dominantes.

Se a história é o processo prático pelo qual homens determinados em condições determinadas estabelecem relações sociais por meio das quais transformam a Natureza (pelo trabalho), se dividem em classes (pela divisão social do trabalho, que determina a existência de proprietários e de não proprietários), organizam essas relações através das instituições e representam suas vidas através das ideias, e se a história é da luta de classes, luta que fica dissimulada pelas ideias que representam os interesses contraditórios como se fossem interesses comuns de toda a sociedade (através da ideologia e do Estado), então a história é também o processo de dominação de uma parte da sociedade sobre todas as outras.

Isso significa que, em termos do materialismo histórico e dialético, é impossível compreender a origem e a função da ideologia sem compreender a luta de classes, pois a ideologia é um dos instrumentos da dominação de classe e uma das formas da luta de classes. A ideologia é um dos meios usados pelos dominantes para exercer a dominação, fazendo com que esta não seja percebida como tal pelos dominados.

A peculiaridade da ideologia, e que a transforma numa força quase impossível de remover, decorre dos seguintes aspectos:

1) o que torna a ideologia possível, isto é, a suposição de que as ideias existem em si e por si mesmas desde toda a eternidade, é a separação entre trabalho material e trabalho intelectual, ou seja, a separação entre trabalhadores e pensadores. Portanto, enquanto esses dois

trabalhos estiverem separados, enquanto o trabalhador for aquele que "não pensa" ou que "não sabe pensar", e o pensador for aquele que não trabalha, a ideologia não perderá sua existência nem sua função;

2) o que torna objetivamente possível a ideologia é o fenômeno da alienação, isto é, o fato de que, no plano da experiência vivida e imediata, as condições reais de existência social dos homens não lhes apareçam como produzidas por eles, mas, ao contrário, eles se percebam produzidos por tais condições e atribuam a origem da vida social a forças ignoradas, alheias às suas, superiores e independentes (deuses, Natureza, Razão, Estado, destino etc.), de sorte que as ideias quotidianas dos homens representem a realidade de modo invertido e sejam conservadas nessa inversão, vindo a constituir os pilares para a construção da ideologia.Portanto, enquanto não houver um conhecimento da história real, enquanto a teoria não mostrar o significado da prática imediata dos homens, enquanto a experiência comum de vida for mantida sem crítica e sem pensamento, a ideologia se manterá;

3) o que torna possível a ideologia é a luta de classes, a dominação de uma classe sobre as outras. Porém, o que faz da ideologia uma força quase impossível de ser destruída é o fato de que a dominação real é justamente aquilo que a ideologia tem por finalidade ocultar. Em outras palavras, a ideologia nasce para fazer com que os homens creiam que

suas vidas são o que são em decorrência da ação de certas entidades (a Natureza, os deuses ou Deus, a Razão ou a Ciência, a Sociedade, o Estado), que existem em si e por si e às quais é legítimo e legal que se submetam. Ora, como a experiência vivida imediata e a alienação confirmam tais ideias, a ideologia simplesmente cristaliza em "verdades" a visão invertida do real. Seu papel é fazer com que no lugar dos dominantes apareçam ideias "verdadeiras". Seu papel é o de fazer com que os homens creiam que tais ideias representam efetivamente a realidade. E, enfim, também é seu papel fazer com que os homens creiam que essas ideias são autônomas (não dependem de ninguém) e representam realidades autônomas (não foram feitas por ninguém).

Assim, por exemplo, na ideologia burguesa, a família não é entendida como uma relação social que assume formas, funções e sentidos diferentes tanto em decorrência das condições históricas quanto em decorrência da situação de cada classe social na sociedade. Pelo contrário, a família é representada como sendo sempre a mesma (no tempo e para todas as classes) e, portanto, como uma realidade natural (biológica), sagrada (desejada e abençoada por Deus), eterna (sempre existiu e sempre existirá), moral (a vida boa, pura, normal, respeitada) e pedagógica (nela se aprendem as regras da verdadeira convivência entre os homens, com o amor dos pais pelos filhos, com o respeito e temor dos filhos pelos pais, com o amor fraterno). Estamos, pois, diante da *ideia* da família e não diante da realidade histórico-social da família.

Ou, então, quando se diz que o trabalho dignifica o homem e não se analisam as condições reais de trabalho, que brutalizam, entorpecem, exploram certos homens em benefício de uns poucos. Estamos diante da *ideia* de trabalho e não diante da realidade histórico-social do trabalho.

Ou, então, quando se diz que os homens são livres por natureza e que exprimem essa liberdade pela capacidade de escolher entre coisas ou entre situações dadas, sem que

No mundo dos homens, no reino dos deuses.

se analise quais coisas e quais situações são dadas para que os homens escolham. Quem dá as condições para a escolha? Todos podem realmente escolher o que desejarem? O nordestino, vítima da seca e do proprietário das terras, realmente "escolhe" vir para o sul do país? Escolhe viver na favela? O peão metalúrgico "escolheu" livremente fazer horas extras depois de 12 horas de trabalho? A menina grávida que teme as sanções da família e da sociedade "escolhe" fazer um aborto? A definição da liberdade como igual direito à escolha é a *ideia* burguesa da liberdade e não a realidade histórico-social da liberdade.

Dissemos que a ideologia é resultado da luta de classes e que tem por função esconder a existência dessa luta. Podemos acrescentar que o poder ou a eficácia da ideologia aumentam quanto maior for sua capacidade para ocultar a origem da divisão social em classes e a luta de classes.

Vejamos com detalhe esse processo.

* * *

A divisão social do trabalho, ao separar os homens em proprietários e não proprietários, dá aos primeiros poder sobre os segundos. Estes são explorados economicamente e dominados politicamente. Estamos diante de classes sociais e da dominação de uma classe por outra. Ora, a classe que explora economicamente só poderá manter seus privilégios se dominar politicamente e, portanto, se dispuser de instrumentos para essa dominação. Esses instrumentos são dois: o Estado e a ideologia.

Através do Estado, a classe dominante monta um aparelho de coerção e de repressão social que lhe permite exercer o poder sobre toda a sociedade, fazendo-a submeter-se às regras políticas. O grande instrumento do Estado é o Direito, isto é, o estabelecimento das leis que regulam as relações sociais em proveito dos dominantes. Através do Direito, o Estado aparece como legal, ou seja, como "Estado de direito". O papel do Direito ou das leis é o de fazer com que a dominação não seja tida como uma violência, mas como legal, e por ser legal e não violenta deve ser aceita. A lei é direito para o dominante e dever para o dominado. Ora, se o Estado e o Direito fossem percebidos nessa realidade real, isto é, como instrumentos para o exercício consentido da violência, evidentemente ambos não seriam respeitados, e os dominados se revoltariam. A função da ideologia consiste em impedir essa revolta fazendo com que o *legal apareça para os homens como legítimo*, isto é, como justo e bom. Assim, a ideologia substitui a realidade do Estado pela *ideia do Estado* — ou seja, a dominação de uma classe é substituída pela ideia de interesse geral encarnado pelo Estado. E substitui a realidade do Direito pela *ideia do Direito* — ou seja, a dominação de uma classe por meio das leis é substituída pela representação ou ideias dessas leis como legítimas, justas, boas e válidas para todos.

Não se trata de supor que os dominantes se reúnam e decidam fazer uma ideologia, pois esta seria, então, uma pura maquinação diabólica dos poderosos. E, se assim fosse, seria muito fácil acabar com uma ideologia.

A ideologia resulta da prática social, nasce da atividade social dos homens no momento em que estes representam para si mesmos essa atividade, e vimos que essa representação é sempre necessariamente invertida. O que ocorre, porém, é o seguinte processo: as diferentes classes sociais representam para si mesmas o seu modo de existência tal como é vivido diretamente por elas, de sorte que as representações ou ideias (todas elas invertidas) diferem segundo as classes e segundo as experiências que cada uma delas tem de sua existência nas relações de produção. No entanto, as ideias dominantes em uma sociedade numa época determinada não são *todas* as ideias existentes nessa sociedade, mas serão *apenas* as ideias da classe dominante dessa sociedade nessa época. Ou seja, a maneira pela qual a classe dominante representa a si mesma (sua ideia a respeito de si mesma), representa sua relação com a Natureza, com os demais homens, com a sobrenatureza (deuses), com o Estado etc., tornar-se-á a maneira como *todos* os membros dessa sociedade irão pensar.

A ideologia é o processo pelo qual as ideias da classe dominante tornam-se ideias de todas as classes sociais, tornam-se ideias dominantes. É esse processo que nos interessa agora.

Na *Ideologia Alemã*, lemos: "As ideias da classe dominante são, em cada época, as ideias dominantes, isto é, a classe que é a força *material* dominante da sociedade é, ao mesmo tempo, sua força *espiritual*. A classe que tem à sua disposição os meios de produção material dispõe, ao mesmo tempo, dos meios de produção espiritual, o que faz com que a ela sejam submetidas, ao mesmo tempo e em média, as ideias daqueles aos quais faltam os meios de produção espiritual. As ideias dominantes nada mais são do que a expressão ideal das relações materiais dominantes, as relações materiais dominantes concebidas como ideias; portanto, a expressão das relações que tornam uma classe a classe dominante; portanto, as ideias de sua dominação. Os indivíduos que constituem a classe dominante possuem, entre outras coisas, também consciência e, por isso, pensam. Na medida em que dominam como classe e determinam todo o âmbito de uma época histórica, é evidente que o façam em toda a sua extensão e, consequentemente, entre outras coisas, dominem também *como pensadores*, como *produtores de ideias*; que regulem a produção e distribuição das ideias de seu tempo e que suas ideias sejam, por isso mesmo, as ideias dominantes da época".

A ideologia consiste precisamente na transformação das ideias da classe dominante em ideias dominantes para a sociedade como um todo, de modo que a classe que domina no plano material (econômico, social e político) também domina no plano espiritual (das ideias).

Isso significa que:

1) embora a sociedade esteja dividida em classes e cada qual devesse ter suas próprias ideias, a dominação de uma classe sobre as outras faz com que só sejam consideradas válidas, verdadeiras e racionais as ideias da classe dominante;

2) para que isso ocorra, é preciso que os membros da sociedade não se percebam divididos em classes, mas se

vejam como tendo certas características humanas comuns a todos e que tornam as diferenças sociais algo derivado ou de menor importância;

3) para que todos os membros da sociedade se identifiquem com essas características supostamente comuns a todos, é preciso que elas sejam convertidas *em ideias comuns* a todos. Para que isso ocorra, é preciso que a classe dominante, além de produzir suas próprias ideias, também possa distribuí-las, o que é feito, por exemplo, através da educação, da religião, dos costumes, dos meios de comunicação disponíveis;

4) como tais ideias não exprimem a realidade real, mas representam a aparência social, as imagens das coisas e dos homens, é possível passar a considerá-las independentes da realidade e, mais do que isso, inverter a relação, fazendo com que a realidade concreta seja tida como realização dessas ideias.

Todos esses procedimentos consistem naquilo que é a operação intelectual por excelência da ideologia: a criação de *universais abstratos*, isto é, a transformação das ideias particulares da classe dominante em ideias universais de todos e para todos os membros da sociedade. Essa universalidade das ideias é abstrata porque não corresponde a nada real e concreto, visto que no real existem concretamente classes particulares e não universalidade humana. As ideias da ideologia são, pois, universais abstratos.

Os ideólogos são aqueles membros da classe dominante ou da classe média (aliada natural da classe dominante) que, em decorrência da divisão social do trabalho em trabalho material e espiritual, constituem a camada dos pensadores ou dos intelectuais. Estão encarregados, por meio da sistematização das ideias, de transformar as ilusões da classe dominante (isto é, a visão que a classe dominante tem de si mesma e da sociedade) em representações coletivas ou universais. Assim, a classe dominante (e sua aliada, a classe média) divide-se em pensadores e não pensadores, ou em produtores ativos de ideias e consumidores passivos de ideias.

Muitas vezes, no interior da classe dominante e de sua aliada, a divisão entre pensadores e não pensadores pode assumir a forma de conflitos — por exemplo, entre nobres e sacerdotes, entre burguesia conservadora e intelectuais progressistas —, mas tal conflito não é uma contradição, não exprime a existência de duas classes sociais contraditórias, mas apenas oposições no interior da mesma classe. A prova disso, escrevem Marx e Engels, é que basta haver uma ameaça real à dominação da classe dominante para que os conflitos sejam esquecidos e todos fiquem do mesmo lado da barricada. Nessas ocasiões, "desaparece a ilusão de que as ideias dominantes não são as ideias da classe dominante e que teriam um poder diferente do poder dessa classe".

Assim, por exemplo, é possível que, em determinadas circunstâncias históricas, os intelectuais se coloquem contra a burguesia e se façam aliados dos trabalhadores. Se os trabalhadores, compreendendo a origem da exploração econômica e da dominação política, decidirem destruir o poder dessa burguesia, é possível que os intelectuais progressistas, sem o saber, passem para o lado da burguesia. É o que ocorre, por exemplo, quando, diante do aguçamento da luta de classes num país, os intelectuais demonstram aos trabalhadores que, naquela fase histórica, o verdadeiro inimigo não é a burguesia nacional, mas a burguesia internacional imperialista, e que se deve lutar primeiro contra ela. A ideologia da unidade nacional, que os intelectuais progressistas, de boa-fé, imaginam servir aos trabalhadores, na verdade serve à classe dominante.

Por que isso ocorre? Do lado dos intelectuais, isso decorre do fato de que interiorizaram de tal modo as ideias dominantes que não percebem o que estão pensando. Do lado dos trabalhadores, se aceitam tal ideologia nacionalista, isso decorre da divisão social do trabalho, que foi interiorizada por eles, fazendo-os crer que não sabem pensar e que devem confiar em quem pensa. Com isso, também eles são vítimas do poder das ideias dominantes.

Esse fenômeno de manutenção das ideias dominantes mesmo quando se está lutando contra a classe dominante é o aspecto fundamental daquilo que Gramsci denomina *hegemonia*, ou o poder espiritual da classe dominante. Por isso ele dizia que, se num determinado momento os trabalhadores de um país precisam lutar usando a bandeira do nacionalismo, a primeira coisa a fazer é redefinir toda a ideia da nação, desfazer-se da ideia burguesa de nacionalidade e elaborar uma ideia do nacional que seja idêntica à de popular. Precisam, portanto, contrapor à ideia dominante de nação uma outra, popular, que negue a primeira.

Uma história concreta não perde de vista a origem de classe das ideias de uma época, nem perde de vista que a ideologia nasce para servir aos interesses de uma classe e que só pode fazê-lo transformando as ideias dessa classe particular em ideias universais.

Não perde de vista, também, que a produção e distribuição dessas ideias ficam sob o controle da classe dominante, que usa as instituições sociais para sua implantação — família, escola, igrejas, partidos políticos, magistraturas, meios de comunicação da cultura permanecem atrelados à conservação do poder dos dominantes.

"Se, ao concebermos o decurso da história, separarmos as ideias da classe dominante e a própria classe dominante; e se as concebermos como independentes; se nos limitarmos a dizer que numa época estas ou aquelas ideias dominaram, sem nos preocuparmos com as condições de produção e com os produtores destas ideias; se, portanto, ignorarmos os indivíduos e as circunstâncias mundiais que são a base destas ideias; então podemos afirmar, por exemplo, que, na época em que a aristocracia dominava, os conceitos de honra, de fidelidade, dominaram, ao passo que na época da dominação burguesa dominam os conceitos de igualdade, de liberdade etc. É, em média, o que a classe dominante, em geral, imagina".

Se fizermos esse tipo de interpretação, não compreenderemos, por exemplo, que a forma da dominação feudal impõe uma divisão social por estamentos fechados que se subordinam uns aos outros segundo uma hierarquia imóvel, que culmina na figura do papa, e deste alcança a de Deus, entendido como fonte de poder que, por uma graça ou por um favor, concede poder a alguns homens determinados, e que, portanto, as relações de honra e de fidelidade simplesmente exprimem o modo pelo qual os laços de poder são conservados no interior da nobreza contra os servos. Ao contrário, no mundo capitalista as relações entre os indivíduos são determinadas pela compra e venda da força de trabalho no mercado, estabelecendo-se entre as partes (proprietários e assalariados) um contrato de trabalho. Ora, o pressuposto jurídico da ideia de contrato é que as partes sejam iguais e livres, de sorte que não apareça o fato de que uma das partes não é igual à outra nem é livre. A realização de relações econômicas, sociais e políticas baseadas na ideia de contrato leva à universalização abstrata das ideias de igualdade e de liberdade.

O processo histórico real, escrevem Marx e Engels, não é o do predomínio de certas ideias em certas épocas, mas um outro, que é o seguinte: cada nova classe em ascensão que começa a se desenvolver dentro de um modo de produção que será destruído quando essa nova classe dominar, cada classe emergente, dizíamos, precisa formular seus interesses de modo sistemático e, para ganhar o apoio do restante da sociedade contra a classe dominante existente, precisa fazer com que tais interesses apareçam como interesses de toda a sociedade. Assim, por exemplo, a burguesia, ao elaborar as ideias de igualdade e de liberdade como essência do homem, faz com que se coloquem ao seu lado como aliados todos os membros da sociedade feudal submetidos ao poder da nobreza, que encarnava o princípio da desigualdade e da servidão.

Para poder ser o representante de toda a sociedade contra uma classe particular que está no poder, a nova classe emergente precisa dar às suas ideias a maior universalidade possível, fazendo com que apareçam como verdadeiras e justas para o maior número possível de membros da sociedade. Precisa apresentar tais ideias como as únicas racionais e as únicas válidas para todos. Ou seja, a classe ascendente não pode aparecer como uma classe particular contra outra classe particular, mas precisa aparecer como representante de toda a sociedade, dos interesses de todos contra os interesses da classe particular dominante. E consegue aparecer assim universalizada graças às ideias que defende como universais.

No início do processo de ascensão é verdade que a nova classe representa um interesse coletivo: o interesse de todas as classes não dominantes. Porém, uma vez alcançada a vitória e a classe ascendente tornando-se classe dominante, seus interesses passam a ser particulares, isto é, são apenas seus interesses de classe. No entanto, agora, tais interesses precisam ser mantidos com a aparência de universais, porque precisam legitimar o domínio que exerce sobre o restante da sociedade. Em uma palavra: as ideias universais da ideologia não são uma invenção arbitrária ou diabólica, mas são a conservação de uma universalidade que já foi real num certo momento (quando a classe ascendente realmente representava os interesses de todos os não dominantes), mas que agora é uma universalidade ilusória (pois a classe dominante tornou-se representante apenas de seus interesses particulares).

"Cada nova classe estabelece sua dominação sempre sobre uma base mais extensa do que a da classe que até então dominava, ao passo que, mais tarde, a oposição entre a nova classe dominante e a não dominante agrava-se e aprofunda-se ainda mais". Isso significa que cada nova classe dominante, enquanto estava em ascensão, apontava para a possibilidade de um maior número de indivíduos exercerem a dominação e, por isso, quando toma o poder, usa de procedimentos mais radicais do que os já existentes, para afastar as possibilidades de exercício do poder por parte dos dominados. Por isso, a distância entre dominantes e dominados aumenta ainda mais, e os dominados, afinal, terão de lutar pelo término de toda e qualquer forma de dominação.

Estamos agora em condições de compreender as determinações gerais da ideologia (recordando que determinação significa: características intrínsecas a uma realidade e que foram sendo produzidas pelo processo que deu origem a essa realidade). Podemos agora compreender o que é a ideologia porque acompanhamos o processo que a produz concretamente.

As principais determinações que constituem o fenômeno da ideologia são:

1) a ideologia é resultado da divisão social do trabalho e, em particular, da separação entre trabalho material/manual e trabalho espiritual/intelectual;

2) essa separação dos trabalhos estabelece a aparente autonomia do trabalho intelectual face ao trabalho material;

3) essa autonomia aparente do trabalho intelectual aparece como autonomia dos produtores desse trabalho, isto é, dos pensadores;

4) essa autonomia dos produtores do trabalho intelectual aparece como autonomia dos produtos desse trabalho, isto é, das ideias;

5) essas ideias que aparecem como autônomas são as ideias da classe dominante de uma época, e tal autonomia é produzida no momento em que se faz uma separação entre os indivíduos que dominam e as ideias que dominam, de tal modo que a dominação de homens sobre homens não seja percebida porque aparece como dominação das ideias sobre todos os homens;

6) a ideologia é, pois, um instrumento de dominação de classe e, como tal, sua origem é a existência da divisão da sociedade em classes contraditórias e em luta;

7) a divisão da sociedade em classes realiza-se como separação entre proprietários e não proprietários das condições e dos produtos do trabalho, como divisão entre exploradores e explorados, dominantes e dominados, e, portanto, realiza-se como luta de classes. Esta não deve ser entendida apenas como os momentos de confronto armado entre as classes, mas como o conjunto de procedimentos institucionais, jurídicos, políticos, policiais, pedagógicos, morais, psicológicos, culturais, religiosos, artísticos, usados pela classe dominante para manter a dominação. E como todos os procedimentos dos dominados para diminuir ou destruir essa dominação. A ideologia é um instrumento de dominação de classe;

8) se a dominação e a exploração de uma classe forem perceptíveis como violência, isto é, como poder injusto e ilegítimo, os explorados e dominados sentem-se no justo e legítimo direito de recusá-la, revoltando-se. Por esse motivo, o papel específico da ideologia como instrumento da luta de classes é impedir que a dominação e a exploração sejam percebidas em sua realidade concreta. Para tanto, é função da ideologia dissimular e ocultar a existência das divisões sociais como divisões de classes, escondendo, assim, sua própria origem. Ou seja, a ideologia esconde que nasceu da luta de classes para servir a uma classe na dominação;

9) por ser o instrumento encarregado de ocultar as divisões sociais, a ideologia deve transformar as ideias particulares da classe dominante em ideias universais, válidas igualmente para toda a sociedade;

10) a universalidade dessas ideias é abstrata, pois no concreto existem ideias particulares de cada classe. Por ser uma abstração, a ideologia constrói uma rede imaginária de ideias e de valores que possuem base real (a divisão social), mas de tal modo que essa base seja reconstruída de modo invertido e imaginário;

11) a ideologia é uma ilusão, necessária à dominação de classe. Por ilusão não devemos entender "ficção", "fantasia", "invenção gratuita e arbitrária", "erro", "falsidade", pois com isto suporíamos que há ideologias falsas ou erradas e outras que seriam verdadeiras e corretas. Por

ilusão devemos entender: abstração e inversão. Abstração (como vimos anteriormente) é o conhecimento de uma realidade tal como se oferece à nossa experiência imediata, como algo dado, feito e acabado, que apenas classificamos, ordenamos e sistematizamos, sem nunca indagarmos como tal realidade foi concretamente produzida.Uma realidade é concreta porque mediata, isto é, porque produzida por um sistema determinado de condições que se articulam internamente de maneira necessária. Inversão (como também vimos anteriormente) é tomar o resultado de um processo como se fosse seu começo, tomar os efeitos pelas causas, as consequências pelas premissas, o determinado pelo determinante. Assim, por exemplo, quando os homens admitem que são desiguais porque Deus ou a Natureza os fez desiguais, estão tomando a desigualdade como causa de sua situação social e não como tendo sido produzida pelas relações sociais e, portanto, por eles próprios, sem que o desejassem e sem que o soubessem;

12) porque a ideologia é ilusão, isto é, abstração e inversão da realidade, ela permanece sempre no plano imediato do *aparecer social*. Ora, como vimos, ao falarmos do fetichismo da mercadoria, o aparecer social é o modo de ser do social de ponta-cabeça. A aparência social não é algo falso e errado, mas é o modo como o processo social aparece para a consciência direta dos homens. Isso significa que uma ideologia sempre possui uma *base real*, só que essa

base está de ponta-cabeça, é a *aparência social*. Assim, por exemplo, a sociedade burguesa aparece em nossa experiência imediata como estando formada por três tipos diferentes de proprietários: o capitalista, proprietário do capital; o dono da terra, proprietário da renda da terra; e o trabalhador, proprietário do salário. Se todos são proprietários, embora de coisas diferentes, então todos os homens dessa sociedade são iguais e possuem iguais direitos. Enquanto não ultrapassarmos essa aparência e procurarmos o modo como realmente e concretamente são produzidos esses proprietários pelo sistema capitalista, não poderemos compreender que o salário não é a propriedade do trabalhador, mas é o trabalho não pago pelo capitalista; que a renda não vem da terra, mas de sua transformação em capital pelo trabalho não pago do camponês ou dos mineiros; e que, finalmente, só o capital é efetivamente propriedade. Enquanto não tivermos essa compreensão história do processo real, a *ideia de igualdade* não só parecerá verdadeira, mas ainda possuirá base real, ou seja, a maneira pela qual os homens aparecem no modo de produção capitalista. É nesse sentido que se deve entender a ideologia como ilusão, abstração e inversão;

13) a ideologia não é um "reflexo" do real na cabeça dos homens, mas o modo ilusório (isto é, abstrato e invertido) pelo qual representam o aparecer social como se tal aparecer fosse a realidade social. Se a ideologia fosse um simples "reflexo invertido" da realidade na consciência dos

homens, a relação entre o mundo e a consciência não seria dialética (isto é, contraditória ou de negação interna), mas seria mecânica ou de causa e efeito. Se a ideologia fosse o espelho "ruim" da realidade, ela seria o efeito mecânico da ação dos objetos exteriores sobre nossa consciência, como a ação da luz sobre nossa retina. Nesse caso, não poderíamos compreender a célebre afirmação de Marx (nas chamadas *Onze Teses Sobre Feuerbach*) de que o engano dos materialistas tinha sido considerar a relação da consciência com os objetos uma experiência sensível e não uma *práxis* social, isto é, uma atividade social que produz os objetos e o sentido dos objetos. A ideologia é uma das formas de *práxis* social: aquela que, partindo da experiência imediata dos dados da vida social, constrói abstratamente um sistema de ideias ou representações sobre a realidade.

Para percebermos que a ideologia não é o mero "reflexo" invertido da realidade na consciência dos homens, basta lembrarmo-nos do modo como Marx define a religião.

Em geral, todos conhecem a famosa fórmula segundo a qual "a religião é o ópio do povo", isto é, um mecanismo para fazer com que o povo aceite a miséria e o sofrimento sem revoltar-se porque acredita que será recompensado na vida futura (cristianismo) ou porque acredita que tais dores são uma punição por erros cometidos numa vida anterior (religiões baseadas na ideia de reencarnação). Aceitando a injustiça social com a esperança da recompensa ou com a resignação do pecador, o homem religioso fica anestesiado como o fumador de ópio, alheio à realidade. No entanto, costuma-se esquecer que, antes de fazer tal afirmação, Marx define a religião como "a criação de um espírito num mundo sem *espírito*", como "enciclopédia e lógica popular" e "consolação num mundo sem consolo". Se a religião, que é uma forma de ideologia, fosse um "reflexo", ela teria de espelhar de maneira invertida o mundo real. Ora, segundo Marx, a inversão religiosa não "reflete" coisa alguma — sendo *criação* do espírito em um mundo *sem* espírito, a religião é produção imaginária de algo que não existe. A inversão consiste em atribuir a essa criação do espírito a origem da realidade, em lugar de compreender que é a miséria real que está produzindo a crença no espírito, numa divindade poderosa que pune e recompensa as ações humanas. A religião, como toda ideologia, é uma *atividade* de consciência social. A religiosidade consiste em substituir o mundo real (o mundo *sem* espírito) por um mundo imaginário (o mundo *com* espírito). Essa substituição do real pelo imaginário é a grande tarefa da ideologia, e por isso ela anestesia como o ópio;

14) a ideologia é produzida em três momentos fundamentais:

a) ela inicia-se como um conjunto sistemático de ideias que os pensadores de uma classe em ascensão produzem para que essa nova classe apareça como representante dos interesses de toda a sociedade, representando os interesses de todos os não dominantes. Nesse primeiro momento, a ideologia encarrega-se de produzir uma universalidade com base real para legitimar a luta da nova classe pelo poder;

b) ela prossegue tornando-se aquilo que Gramsci denomina senso comum, isto é, ela populariza-se, torna-se um conjunto de ideias e de valores concatenados e coerentes, aceitos por todos os que são contrários à dominação existente e que imaginam uma nova sociedade que realize essas ideias e esses valores (por exemplo, quando os servos, aprendizes, pequenos artesãos e pequenos comerciantes no final da Idade Média e no início do mercantilismo aceitam e incorporam as ideias de liberdade e de igualdade, defendidas pela burguesia em ascensão). Ou seja, o momento essencial de consolidação social da ideologia ocorre quando as ideias e valores da classe emergente são interiorizados pela consciência de todos os membros não dominantes da sociedade;

c) uma vez sedimentada e interiorizada como senso comum, a ideologia mantém-se mesmo após a vitória da classe emergente, que se torna, então, classe dominante. Isso significa que, mesmo quando os interesses anteriores, que eram interesses de todos os não dominantes, são *negados* pela realidade da nova dominação — isto é, a nova dominação converte os interesses da classe emergente em interesses particulares da classe dominante e, portanto, nega a possibilidade de que se realizem como interesses de toda a sociedade —, tal negação não impede que as ideias e valores anteriores à dominação permaneçam como algo verdadeiro para os dominados. Ou seja, mesmo que a classe dominante seja percebida como tal pelos dominados, mesmo que estes percebam que tal classe defende interesses que são exclusivamente dela, essa percepção não afeta a aceitação das ideias e valores dos dominantes, pois a tarefa da ideologia consiste justamente em separar os indivíduos dominantes e as ideias dominantes, fazendo com que apareçam como independentes uns dos outros.

É assim, por exemplo, que os trabalhadores contemporâneos podem perceber que a organização do processo de trabalho pelo estilo taylorista (que consiste em separar todas as fases de produção e em separar os que dirigem e controlam tal produção e os que a executam) é um interesse da classe dominante, sem que isso os impeça de crer que a organização racional do trabalho exija racionalmente a divisão entre os que possuem conhecimento tecnológico (cientistas, técnicos, administradores e gerentes) e os que possuem apenas a qualificação para executar as tarefas do trabalho (trabalhadores). Ou seja, percebem, de um lado, que o taylorismo é uma forma de dominação burguesa, mas conservam a ideia (subjacente ao taylorismo) de que é racional separar saber tecnológico e execução prática do trabalho (sem se dar conta de que tal separação é o que permite a dominação burguesa, pois tal organização lhes aparece como racional por causa do avanço tecnológico, que impossibilita a cada trabalhador e ao conjunto dos trabalhadores controlar o saber que governa seus trabalhos).

Esse fenômeno da conservação da validade das ideias e valores dos dominantes, mesmo quando se percebe a dominação e mesmo quando se luta contra a classe dominante, mantendo sua ideologia, é que Gramsci denomina *hegemonia*. Uma classe é hegemônica não só porque detém a propriedade dos meios de produção e o poder do Estado (isto é, o controle jurídico, político e policial da sociedade), mas ela é hegemônica sobretudo porque suas ideias e valores são dominantes, e mantidos pelos dominados até mesmo quando lutam contra essa dominação.

Em geral, fala-se muito em "crise de hegemonia" (conceito gramsciano) para caracterizar momentos de crise econômica e política nos quais a classe dirigente (aquela fração da classe dominante que dirige a sociedade) é forçada a repensar sua ação econômica e política se quiser conservar o poder dirigente. Ora, crise de hegemonia não é isso. A crise de hegemonia só ocorre quando, além da crise econômica e política que afeta os dirigentes, há uma crise das ideias e dos valores dominantes, fazendo com que toda a sociedade, na qualidade de não dirigente, recuse a totalidade da forma de dominação existente. Assim é que Gramsci pode caracterizar o surgimento do fascismo na Itália a partir de uma crise de hegemonia. Mas quando hoje, no Brasil, se consideram as dificuldades dos atuais dirigentes para manter o controle econômico e político uma "crise de hegemonia", emprega-se erroneamente o conceito gramsciano.

Vejamos um exemplo de conservação da hegemonia burguesa.

Muitos movimentos feministas lutam contra o poder burguês porque ele é fundamentalmente um poder masculino que discrimina social, econômica, política e culturalmente as mulheres. É considerado um poder patriarcal, isto é, fundado na autoridade do Pai (chefe de família, chefe de seção, chefe de escola, chefe de hospital, chefe de Estado etc.). É um poder que legitima a submissão das mulheres aos homens, tanto pela afirmação da inferioridade feminina (fraqueza física e intelectual) quanto pela divisão de papéis sociais a partir de atividades sexuais (feminilidade como sinônimo de maternidade e domesticidade).

Partindo dessa colocação, muitos movimentos feministas vão defender duas ideias principais:

1) a de que as mulheres não devem se sujeitar a papéis sociais, mas devem lutar por igual direito ao trabalho;

2) a de que as mulheres não devem continuar se submetendo ao poderio masculino e devem defender a liberdade

do uso de seu corpo, porque este é propriedade delas e não dos homens (maridos, filhos, chefes etc.).

Aparentemente, tais movimentos parecem estar lutando contra o poder burguês, pelo menos no seu aspecto discriminatório. Porém, se analisarmos as duas ideias defendidas, o que veremos? Defender a igualdade no mercado de trabalho não é criticar a exploração capitalista do trabalho, mas é mantê-la, fazendo com que as mulheres tenham igual direito de serem exploradas e de realizarem trabalhos alienados. Seria preciso que as mulheres, como movimento social, pudessem levar a cabo a crítica do próprio trabalho no modo de produção capitalista, em vez de desejarem virar força de trabalho. Por outro lado, defender a liberdade de usar o corpo porque este é propriedade privada da própria mulher e afirmar que tal direito define a mulher como pessoa autônoma é esquecer que um dos pilares da ideologia burguesa, na sua forma liberal, é justamente a definição dos seres humanos por algo chamado de "direito natural", e que seria o direito à posse e ao uso do próprio corpo, posse que nos torna livres, liberdade que é necessária para formular a ideia burguesa de contrato (como vimos acima). Ora, vimos como Marx descreve o surgimento do trabalhador "livre" necessário ao capital: o homem que, tendo apenas a posse de seu corpo, que, estando despojado ("liberado") dos meios e instrumentos do trabalho, tem o "livre" direito ao uso de seu corpo, vendendo-o no mercado da compra e venda da força de trabalho. E vimos, com Hegel, como a definição burguesa de pessoa é sinônimo ou versão jurídica do proprietário privado. Assim, a luta feminista pode realizar-se sem pôr em questão a hegemonia burguesa.

Isso não significa que os movimentos feministas são falsos ou inúteis, nem que todos eles defendem dessa maneira tais ideias. Significa apenas que é possível, de fato, movimentos de libertação das mulheres que reafirmam a ideologia dominante.

A IDEOLOGIA DA COMPETÊNCIA

Em um ensaio intitulado "A gênese da ideologia na sociedade moderna", o filósofo francês Claude Lefort observa que houve uma mudança no modo de operação da ideologia, desde meados do século XX.

De fato, escreve ele, a ideologia burguesa era um pensamento e um discurso de caráter legislador, ético e pedagógico, que definia para toda a sociedade o verdadeiro e o falso, o bom e o mau, o lícito e o ilícito, o justo e o injusto, o normal e o patológico, o belo e o feio, a civilização e a barbárie. Punha ordem no mundo, afirmando o valor positivo e universal de algumas instituições como a família, a pátria, a empresa, a escola e o Estado, e, com isso, designava os detentores legítimos do poder e da autoridade: o pai, o patrão, o professor, o cientista, o governante.

No entanto, a partir, sobretudo, dos anos 30 do século XX, houve uma mudança no processo social do trabalho, mudança que iria espalhar-se por toda a sociedade e todas as relações sociais. O trabalho industrial passou a ser organizado segundo um padrão conhecido como *fordismo*, no qual uma empresa controla desde a produção da matéria-prima (no início da cadeia produtiva), até a distribuição comercial dos produtos (no final da cadeia produtiva). Além desse controle total da produção, são introduzidas a linha de montagem, a fabricação em série de produtos padronizados e as ideias de que a competição capitalista realiza-se em função da qualidade dos produtos e que essa qualidade depende de avanços científicos e tecnológicos, de modo que uma empresa deve também financiar pesquisas e possuir laboratórios. Com o fordismo, é introduzida uma nova prática das relações sociais, conhecida como a Organização.

Quais as principais características da Organização?

1) as afirmações de que "organizar" é *administrar*, e que administrar é introduzir racionalidade nas relações sociais (na indústria, no comércio, na escola, no hospital, no governo etc.). A racionalidade administrativa consiste

em afirmar que não é necessário discutir os *fins* de uma ação ou de uma prática, e sim estabelecer *meios* eficazes para a obtenção de um objetivo;

2) as afirmações de que uma Organização é racional se for eficiente, e que será eficiente se estabelecer uma rígida hierarquia de cargos e funções, na qual a subida a um novo cargo e a uma nova função signifique melhorar de posição social, adquirir mais *status* e mais poder de mando e de comando. A Organização será tanto mais eficaz quanto mais todos os seus membros se identificarem com ela e com os objetivos dela, fazendo de suas vidas um serviço a ela que é retribuído com a subida na hierarquia de poder;

3) a afirmação de que uma Organização é uma administração científica racional que possui lógica própria e funciona por si mesma, independentemente da vontade e da decisão de seus membros. Graças a essa lógica da própria Organização, é ela que possui o conhecimento das ações a serem realizadas e que conhece quais são as pessoas competentes para realizá-las.

No caso do trabalho industrial, a Organização introduz duas novidades. A primeira é a linha de montagem, isto é, a afirmação de que é mais racional e mais eficaz que cada trabalhador tenha uma função muito especializada e não deva realizar todas as tarefas para produzir um objeto completo. A segunda é a chamada "gerência científica", isto é, depois de despojar o trabalhador do conhecimento da produção completa de um objeto, a Organização divide e separa os que possuem tal conhecimento — os gerentes e administradores — e os que executam as tarefas fragmentadas — os trabalhadores. Com isso, a divisão social do trabalho faz-se pela separação entre os que têm competência para dirigir e os incompetentes, que só sabem executar.

Examinando a maneira como o modelo da Organização se difunde e se espalha por todas as instituições sociais e por todas as relações sociais, Lefort fala na ideologia contemporânea como a *ideologia invisível*. Ou seja, enquanto na ideologia burguesa tradicional as ideias eram produzidas e emitidas por determinados agentes sociais — o pai, o patrão, o padre ou pastor, o professor, o sábio —, agora parece não haver agentes produzindo as ideias, porque elas parecem emanar diretamente do funcionamento da Organização e das chamadas "leis do mercado".

Façamos, ainda, uma outra observação. Antigamente, julgava-se que as ciências eram teorias que podiam ser aplicadas por meio das técnicas, e que a economia capitalista fazia uso das técnicas para aumentar a acumulação e reprodução do capital. O caso mais visível desse uso era a construção das máquinas para o processo de trabalho. Hoje em dia, porém, não se trata mais de usar técnicas vindas da aplicação das ciências, e sim de usar e desenvolver *tecnologias*. A tecnologia não é ciência aplicada.

A tecnologia é fabricação de instrumentos de precisão que interferem no próprio conteúdo das ciências. Com isso, as ciências passaram a participar diretamente do processo produtivo, tanto porque dependem dele com relação à tecnologia quanto porque esta depende delas. Essa participação da ciência e da tecnologia no processo de produção das mercadorias aparece com clareza na automação e na informatização do trabalho industrial, e nas demais atividades econômicas e sociais.

Se, agora, reunirmos a Organização (ou administração racional eficaz do trabalho), a "gerência científica", a presença da ciência e da tecnologia no processo produtivo e no trabalho intelectual, perceberemos que a divisão social das classes está acrescida de novas divisões, e que estas podem ser resumidas numa só e grande divisão: a divisão entre os que possuem poder porque possuem saber e os que não possuem poder porque não possuem saber.

Dessa maneira, em vez de falarmos em ideologia invisível, preferimos falar em *ideologia da competência*, que oculta a divisão social das classes ao afirmar que a divisão social se realiza entre os competentes (os especialistas que possuem conhecimentos científicos e tecnológicos) e os incompetentes (os que executam as tarefas comandadas pelos especialistas).

A ideologia da competência realiza a dominação pelo descomunal prestígio e poder conferidos ao conhecimento científico e tecnológico, ou seja, pelo prestígio e poder das ideias consideradas científicas e tecnológicas.

O discurso competente é aquele proferido pelo especialista, que ocupa uma posição ou um lugar determinado na hierarquia organizacional, e haverá tantos discursos competentes quantas organizações e hierarquias houver na sociedade. Esse discurso opera com duas práticas contraditórias. Numa delas, enquanto discurso da própria Organização, afirma que esta é racional e é o agente social, político e histórico, de sorte que os homens enquanto tais e as classes sociais enquanto tais são destituídos e despojados da condição de sujeitos sociais, políticos e históricos. A Organização é competente; os indivíduos e as classes sociais, incompetentes, objetos sociais conduzidos, dirigidos e manipulados pela Organização.

Na outra modalidade prática, o discurso competente procura desfazer o que fez anteriormente. Ou seja, depois de invalidar os indivíduos e as classes sociais como sujeitos da ação, procura revalidá-los, mas o faz tomando-os como pessoas ou indivíduos privados. Trata-se do que chamaremos de competência privatizada. Vejamos como ela é feita.

O discurso da competência privatizada é aquele que ensina a cada um de nós, enquanto indivíduos privados (e não enquanto sujeitos sociais), como nos relacionarmos com o mundo e com os outros. Esse ensino é feito por especialistas que nos ensinam a viver. Assim, cada um de nós aprende a relacionar-se com o desejo pela medição do discurso da sexologia, a relacionar-se com a alimentação pela mediação do discurso da dietética ou nutricionista, a relacionar-se com a criança por meio do discurso da pediatria, da psicologia e da pedagogia, a relacionar-se com a Natureza pela mediação do discurso ecológico, a relacionar-se com os outros pela mediação do discurso da psicologia e da sociologia, e assim por diante. Isso explica a proliferação dos livros de "autoajuda", os programas de conselhos pelo rádio e pela televisão, bem como os programas em que especialistas nos ensinam jardinagem, culinária, maternidade, paternidade, sucesso no trabalho e no amor. Esse discurso competente exige que interiorizemos suas regras e valores, se não quisermos ser considerados lixo e detrito.

É essa modalidade da competência que aparece na fixação de um modelo de ser humano sempre jovem, saudável e feliz, produzido e difundido pela publicidade e pela moda, que prometem juventude (com os cosméticos, por exemplo), saúde (com a "malhação", por exemplo) e felicidade (com as mercadorias que garantem sucesso).

Finalmente, se reunirmos o discurso competente da Organização e o discurso competente dos especialistas, veremos que estão construídos para assegurar dois pontos indissociáveis do modo de produção capitalista: o discurso da Organização afirma que só existe racionalidade nas leis do mercado; o discurso do especialista afirma que só há felicidade na competição e no sucesso de quem vence a competição.

Vejamos algumas consequências perversas produzidas pela ideologia da competência. Se ser competente é vencer a competição e subir na hierarquia de uma Organização, como se sente o desempregado? A ideologia burguesa lhe ensina, no cotidiano e na escola, que o trabalho é uma virtude que dignifica o homem, e que não trabalhar é um vício (a preguiça, a malandragem). A ideologia da competência lhe ensina, no cotidiano, na organização escolar, na organização empresarial, que só a competência no trabalho assegura felicidade e realização. Ocorre, porém, que a atual forma do capitalismo (sobretudo por causa da tecnologia e do lugar ocupado pelo chamado capital financeiro, isto é, papéis e dinheiro dos bancos e das bolsas de valores) não precisa de muita gente trabalhando na produção, e por isso gera o desemprego. No entanto, o desempregado, ignorando o que se passa e orientando-se pelo que foi incutido pela ideologia, sente-se culpado pelo desemprego, humilhado e num beco sem saída.

Um outro efeito da ideologia da competência aparece na busca do diploma universitário a qualquer custo. Antigamente, as pessoas que cursavam as universidades o faziam porque desejavam dedicar-se a alguma pesquisa ou ao ensino. Hoje, cursa-se a universidade porque o diploma é exigido pela Organização, quando examina os currículos dos que procuram um emprego nela, pois o diploma é usado como instrumento de seleção. Os jovens universitários estão convencidos de que sempre foi e sempre será assim, e que a função da universidade é adaptar-se às exigências das organizações empresariais, isto é, do que se costuma chamar de "o mercado". O diploma confere ao que procura emprego a condição de "especialista" e de "competente" e uma posição superior na hierarquia de cargos e funções. Dessa maneira, a universidade alimenta a ideologia da competência e despoja-se de suas principais atividades, a formação crítica e a pesquisa.

* * *

Façamos, para concluir, um resumo do nosso percurso.

A ideologia é um conjunto lógico, sistemático e coerente de representações (ideias e valores) e de normas ou regras (de conduta) que indicam e prescrevem aos membros da sociedade o que devem pensar e como devem pensar, o que devem valorizar e como devem valorizar, o que devem sentir e como devem sentir, o que devem fazer e como devem fazer. Ela é, portanto, um corpo explicativo (representações) e prático (normas, regras, preceitos) de caráter prescritivo, normativo, regulador, cuja função é dar aos membros de uma sociedade dividida em classes uma explicação racional para as diferenças sociais, políticas e culturais, sem jamais atribuir tais diferenças à divisão da sociedade em classes a partir das divisões na esfera da produção. Pelo contrário, a função da ideologia é a de apagar as diferenças como de classes e fornecer aos membros da sociedade o sentimento da identidade social, encontrando certos referenciais identificadores de todos e para todos, como, por exemplo, a Humanidade, a Liberdade, a Igualdade, a Nação, ou o Estado.

Isso significa que:

a) na qualidade de explicação teórica do real (através das ciências, sobretudo hoje em dia, ou das filosofias, ou das religiões), a ideologia nunca pode explicitar sua própria origem, pois, se o fizesse faria vir à tona a divisão social em classes e perderia, assim, sua razão de ser, que é a de dar explicações racionais e universais que devem esconder as diferenças e particularidades reais. Ou seja, nascida por causa da luta de classes e nascida da luta de classes, a ideologia é um corpo teórico (religioso, filosófico ou científico) que não pode pensar realmente a luta de classes que lhe deu origem;

b) na qualidade de corpo teórico e de conjunto de regras práticas, a ideologia possui uma coerência racional pela qual precisa pagar um preço. Esse preço é a existência de "brancos", de "lacunas" ou de "silêncios" que nunca poderão ser preenchidos sob pena de destruir a coerência ideológica. O discurso ideológico é coerente e racional porque entre suas "partes" ou entre suas "frases" há "brancos" ou "vazios" responsáveis pela coerência. Assim, a ideologia é coerente não *apesar* das lacunas, mas *por causa ou graças* às lacunas. Ela é coerente como ciência, como moral, como tecnologia, como filosofia, como religião, como pedagogia, como explicação e como ação apenas porque *não diz tudo* e *não pode dizer tudo*. Se dissesse tudo, quebraria-se por dentro.

Por esse motivo, cometemos um engano quando imaginamos ser possível substituir uma ideologia "falsa" (que não diz tudo) por uma ideologia "verdadeira" (que diz tudo). Ou quando imaginamos que a ideologia "falsa" é a dos dominantes, enquanto a ideologia "verdadeira" é a dos dominados. Por que nos enganamos nessas duas afirmações? Em primeiro lugar, porque uma ideologia que fosse plena ou que não tivesse "vazios" e "brancos", isto é, que dissesse tudo, já não seria ideologia. Em segundo lugar, porque falar em ideologia dos dominados é um contrassenso, visto que a ideologia é um instrumento da dominação. Esses enganos fazem-nos sair da concepção marxista de ideologia (que vimos no início deste livro). Podemos, isso sim, contrapor ideologia e *crítica da ideologia*, e podemos contrapor a ideologia ao saber real que muitos dominados têm acerca da realidade da exploração, da dominação, da divisão social em classes e da repressão a que este saber está submetido pelas forças repressivas dos dominantes (forças repressivas que não precisam ser apenas as da polícia ou as do exército, mas que podem ser, sutilmente, a própria ideologia difundida e conservada pela escola e pelas ciências ou filosofias dos dominantes).

Vejamos o que significa a afirmação de que a ideologia não pode dizer tudo porque se o dissesse se destruiria por dentro.

Seja, por exemplo, a ideia de família. Se a ideologia mostrasse que há, no sistema capitalista, três tipos diferentes de família (diferentes tanto por sua finalidade como por seu modo de organização), a burguesa, a proletária e a pequeno-burguesa, já não poderia falar: a Família.

Por outro lado, se pudesse mostrar que a família burguesa é um contrato econômico entre duas outras famílias para conservar e transmitir o capital sob a forma de patrimônio familiar e de herança (mantendo a classe), teria de mostrar que é por isso que, nessa família, o adultério feminino é uma falta grave, pois faz surgirem herdeiros ilegítimos que dispersariam o capital familiar, e que, por esse motivo, o adultério feminino é convertido, para a sociedade inteira, numa falta moral e num crime penal. Se, por exemplo, pudesse mostrar que a família proletária tem por função exclusiva reproduzir a força de trabalho procriando filhos, teria de mostrar que é por isso (e não por razões religiosas e morais, que justamente são ideológicas) que a mulher proletária não tem direito ao aborto decente nem o direito ao anticoncepcional, a não ser quando, em virtude da modificação tecnológica que leva à automação do trabalho, interessa aos dominantes diminuir a quantidade de oferta de mão de obra no mercado de trabalho. Nesta hora, os dominantes, através do Estado, inventam o chamado Planejamento Familiar, que pretende, pela diminuição numérica dos trabalhadores, resolver o problema real da miséria e da desigualdade social. Ou, enfim, se mostrasse que a família pequeno-burguesa tem a finalidade de reproduzir os ideais e valores burgueses por toda a sociedade, e que, por isso, é nela que a ideia de família é mais forte do que nas outras classes, teria de mostrar que a família pequeno-burguesa está encarregada de oferecer ao pai uma autoridade substitutiva que o compense de sua real falta de poder na sociedade, e que, por isso, ele aparece como devendo encarnar para toda a sociedade o ideal do Pai. Que esta família também está encarregada de dar à mãe um lugar honroso que a retenha fora do mercado de trabalho, para não competir com o pai e não lhe roubar a autoridade ilusória, e que, por isso, a mulher dessa família está destinada a encarnar para toda a sociedade o ideal de Mãe. Que, finalmente, essa família pequeno-burguesa está encarregada de conservar a autoridade paterna e a domesticidade materna como forças, para reter por mais tempo fora do mercado de trabalho os jovens, para usá-los apenas quando se tornam arrimos econômicos de garantia de unidade familiar, e que, por esse motivo, retarda pelo maior tempo possível a constituição de novas famílias, e que é esse o motivo da defesa do ideal da virgindade para as meninas e da recusa do homossexualismo feminino e masculino (pois no homossexualismo não há reprodução e vínculo familiar).

Se a ideologia mostrasse todos os aspectos que constituem a realidade das famílias no sistema capitalista, se mostrasse como a repressão da sexualidade está ligada a essas estruturas familiares (condenação do adultério, do homossexualismo, do aborto, defesa da virgindade e do heterossexualismo, diminuição do prazer sexual para o trabalhador porque o sexo diminui a rentabilidade e produtividade do trabalho alienado), como, então, a ideologia manteria a *ideia* e o *ideal* da Família? Como faria, por exemplo, para justificar uma sexualidade que não estivesse legitimada pela procriação, pelo Pai e pela Mãe? Não pode fazer isso. Não pode dizer isso.

A ideologia não tem história, afirmam Engels e Marx. Isso não quer dizer que houve, há e haverá sempre uma só e mesma ideologia. Tanto assim que a própria ideologia burguesa, que é uma das formas históricas da ideologia, também não é sempre a mesma. No período da livre concorrência, que definia as relações econômicas e sociais pelas relações de contrato no mercado e pela liberdade de empresa, a ideologia burguesa assumirá a forma do liberalismo, enquanto atualmente, com o fim da livre concorrência, com o advento do capitalismo monopolista de Estado ou dos oligopólios, a ideologia burguesa assume a forma de ideologia da Organização, do Planejamento e da Administração. Em outras palavras, as mudanças econômicas e sociais produziram mudanças na ideologia burguesa, que passou de sua formulação tradicional para aquela que chamamos aqui de ideologia da competência.

Dizer que a ideologia não tem história significa que:

a) a transformação das ideias não depende delas mesmas, de alguma força interna que teriam (como na história do Espírito hegeliano, ou como nas etapas do Espírito humano de Auguste Comte), mas depende da transformação das relações sociais e, portanto, das relações econômicas e políticas. Com isso, podemos perceber que há entre a ideologia e a estrutura de uma sociedade aquilo que Louis Althusser chama de "contemporaneidade" ou de correspondência temporal entre a estrutura social e as ideias ideológicas. Compreendemos também como as ideias não ideológicas (aquelas que estão empenhadas em compreender a gênese ou história real) são capazes de ultrapassar o tempo em que são pensadas. E isso em duas direções: com relação ao passado, de modo a não "explicá-lo" com as ideias do presente, mas reencontrando as próprias determinações diferenciadoras que fazem do passado, passado; com relação ao futuro, na medida em que não projeta para o que ainda está por vir aquilo que já existe, mas procura, nas linhas de força do presente, aquilo que anuncia a possibilidade futura. Enquanto a ideologia explica o presente como efeito do passado, o passado pelo presente e o futuro pelo já existente, fazendo com que este último deixe de ser o *possível* (aquilo que os homens poderão realizar) para se tornar o *previsível* (aquilo que os homens deverão realizar), o saber histórico mantém as diferenças temporais como diferenças intrínsecas;

b) a ideologia fabrica uma história imaginária (aquela que reduz o passado e o futuro às coordenadas do presente), na medida em que atribui o movimento da história a agentes ou sujeitos que não podem realizá-lo. Assim, por exemplo, a ideologia nacionalista faz da Nação o sujeito da história, ocultando que a Nação é uma unidade imaginária, pois é constituída efetivamente por classes sociais em luta. A ideologia estatista faz do Estado ou da ação dos governantes ou das mudanças de regimes políticos o sujeito da história, ocultando que o Estado não é um sujeito autônomo, mas instrumento de dominação de uma classe social, e, portanto, o sujeito dessa história estatista imaginária é, afinal, apenas a classe dominante. A ideologia racionalista (e, atualmente, a ideologia cientificista) faz da Razão (e, hoje em dia, da Ciência) o sujeito da história, esquecendo-se de que a ideia da Razão (e de Ciência) é determinada por aquilo que numa sociedade é entendido como racional e como irracional, e que a ideia de racionalidade é determinada pela forma das relações sociais. Assim, é perfeitamente racional que Homero explique a guerra de Troia como punição dos deuses pelo crime cometido por um chefe aqueu, Tiesto. Também é perfeitamente racional que os hebreus expliquem a história de seus múltiplos cativeiros, sua dispersão e seu retorno à Terra Prometida como realização das profecias sobre os crimes do povo eleito contra as leis de Jeová. E é perfeitamente racional que expliquemos a guerra de Troia e as desventuras do povo hebraico através de uma outra história, o que mostra simplesmente que nossa racionalidade é diferente da dos gregos homéricos e da dos hebreus proféticos. Encontrar a causa dessa diferença é tarefa de um pensamento não ideológico;

É de grande importância a afirmação de Marx e de Engels acerca da ideologia como algo que não tem história. Por quê? Porque a ideologia burguesa (em qualquer de suas formulações) tem o culto da história entendida como progresso. Para a ideologia burguesa, toda a história é o progresso das nações, dos estados, das ciências, das artes, das técnicas. É que o historiador burguês aceita a imagem progressista que a burguesia tem de si mesma, na medida em que a burguesia considera um progresso seu modo de dominar a Natureza e de dominar os outros homens. Com esse culto do progresso, a burguesia e seus ideólogos justificam o direito do capitalismo de colonizar os povos ditos "primitivos" ou "atrasados" para que se beneficiem dos "progressos da civilização".

Assim, quando a antropologia social explica "cientificamente" as sociedades ditas "selvagens", passa a descrevê-las como sendo *pré-lógicas*, como fez Lévy-Bruhl. Ou então, quando os antropólogos percebem que tal caracterização é colonialista e passam a descrever os "selvagens" de modo a revelar que são diferentes e não atrasados, ainda assim permanecem sob a hegemonia da ideologia burguesa. Por quê? Porque agora mostram que as sociedades primitivas são diferentes da nossa por serem sociedades *sem* escrita, *sem* mercado, *sem* Estado e *sem* história. Como bem mostrou o antropólogo Pierre Clastres, em seu livro *A Sociedade contra o Estado*, explicar as sociedades primitivas dizendo o que *lhes falta* (o "sem") é manter, implicitamente, como modelo explicativo, a nossa sociedade, e como sociedade plena isto é, com escrita, com mercado, com Estado e com história.

Isso não significa que os antropólogos queiram defender o colonialismo (em geral defendem os interesses das sociedades "primitivas"), mas, sim, que sua ciência permanece presa a uma racionalidade e a uma cientificidade que conservam, silenciosamente, a ideia burguesa de progresso.

Porque a ideologia não tem história, mas fabrica histórias imaginárias que nada mais são do que uma forma de legitimar a dominação da classe dominante, compreende-se por que a história ideológica (aquela que aprendemos na escola e nos livros) é sempre uma história narrada do ponto de vista do vencedor ou dos poderosos. Não possuímos a história dos escravos, nem a dos servos, nem a dos trabalhadores vencidos — não só suas ações não são registradas pelo historiador, mas os dominantes também não permitem que restem vestígios (documentos, monumentos) dessa história. Por isso, os dominados aparecem nos textos dos historiadores sempre a partir do modo como eram vistos e compreendidos pelos próprios vencedores.

O vencedor ou poderoso é transformado em único sujeito da história, não só porque impediu que houvesse a história dos vencidos (ao serem derrotados, os vencidos perderam o "direito" à história), mas simplesmente porque sua ação histórica consiste em eliminar fisicamente os vencidos, ou, então, se precisa do trabalho deles, elimina sua memória, fazendo com que se lembrem apenas dos feitos dos vencedores. Não é assim, por exemplo, que os estudantes negros ficam sabendo que a Abolição foi um feito da Princesa Isabel? As lutas dos escravos estão sem registro e tudo que delas sabemos está registrado pelos senhores brancos. Não há direito à memória para o negro. Nem para o índio. Nem para os camponeses. Nem para os operários.

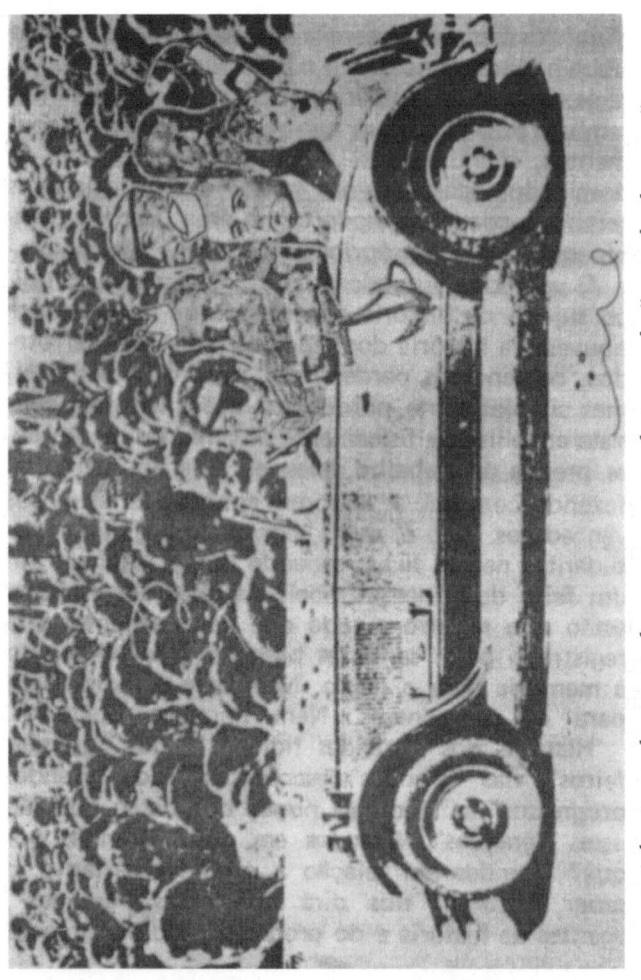

A história dos vencedores: um carro alegórico de "grandes homens".

História dos "grandes homens", dos "grandes feitos", das "grandes descobertas", dos "grandes progressos", a ideologia nunca nos diz o que são esses "grandes". Grandes em quê? Grandes por quê? Grandes em relação a quê? No entanto, o saber *histórico* nos dirá que esses "grandes", agentes da história e do progresso, são os "grandes e poderosos", isto é, os dominantes, cuja "grandeza" depende sempre da exploração e dominação dos "pequenos". Aliás, a própria ideia de que os outros são os "pequenos" já é um pacto que fazemos com a ideologia dominante.

Graças a esse tipo de história, a ideologia pode manter sua hegemonia mesmo sobre os vencidos, pois estes interiorizam a suposição de que não são sujeitos da história, mas apenas seus pacientes.

Quem e o que pode desmantelar a ideologia? Somente uma prática política nascida dos explorados e dominados e dirigida por eles próprios. Para essa prática política é de grande importância o que chamamos de crítica da ideologia, que consiste em preencher as lacunas e os silêncios do pensamento e discurso ideológicos, obrigando-os a dizer tudo que não está dito, pois dessa maneira a lógica da ideologia se desfaz e se desmancha, deixando ver o que estava escondido e assegurava a exploração econômica, a desigualdade social a dominação política e a exclusão cultural.

SOBRE A AUTORA

Marilena Chauí é professora de História da Filosofia e de Filosofia Política da Universidade de São Paulo.

Foi secretária Municipal de Cultura de São Paulo no governo de Luiza Erundina (1989-1992). Presidiu a Associação Nacional de Pós-Graduação em Filosofia (Anpof, gestão 1998-2000). É presidente da Associação de Estudos Filosóficos do Século XVII, colaboradora em revistas acadêmicas brasileiras e estrangeiras, e escreve para jornais brasileiros de grande circulação.

Escreve trabalhos de filosofia para estudantes do segundo grau e da graduação universitária. Tem livros publicados sobre o pensamento dos filósofos Merleau-Ponty e Espinosa e sobre o Brasil.

Coleção Primeiros Passos
Uma Enciclopédia Crítica

- ABORTO
- AÇÃO CULTURAL
- ADMINISTRAÇÃO
- AGRICULTURA SUSTENTÁVEL
- ALCOOLISMO
- ANARQUISMO
- ANGÚSTIA
- APARTAÇÃO
- APOCALIPSE
- ARQUITETURA
- ARTE
- ASSENTAMENTOS RURAIS
- ASTROLOGIA
- ASTRONOMIA
- BELEZA
- BIOÉTICA
- BRINQUEDO
- BUDISMO
- CANDOMBLÉ
- CAPITAL
- CAPITAL FICTÍCIO
- CAPITAL INTERNACIONAL
- CAPITALISMO
- CÉLULA-TRONCO
- CIDADANIA
- CIDADE
- CINEMA
- COMPUTADOR
- COMUNICAÇÃO
- COMUNICAÇÃO EMPRESARIAL
- CONTO
- CONTRACULTURA
- COOPERATIVISMO
- CORPOLATRIA
- CRISTIANISMO
- CULTURA
- CULTURA POPULAR
- DARWINISMO
- DEFESA DO CONSUMIDOR
- DEFICIÊNCIA
- DEMOCRACIA
- DEPRESSÃO
- DESIGN
- DIALÉTICA
- DIREITO
- DIREITOS DA PESSOA
- DIREITOS HUMANOS
- DIREITOS HUMANOS DA MULHER
- DRAMATURGIA
- ECOLOGIA
- EDUCAÇÃO
- EDUCAÇÃO AMBIENTAL
- EDUCAÇÃO FÍSICA
- EDUCAÇÃO INCLUSIVA
- EDUCAÇÃO POPULAR
- EDUCACIONISMO
- ENFERMAGEM
- ENOLOGIA
- ESCOLHA PROFISSIONAL

Coleção Primeiros Passos
Uma Enciclopédia Crítica

- ESPORTE
- ESTATÍSTICA
- ÉTICA
- ÉTICA EM PESQUISA
- ETNOCENTRISMO
- EVOLUÇÃO DO DIREITO
- EXISTENCIALISMO
- FAMÍLIA
- FEMINISMO
- FILOSOFIA
- FILOSOFIA CONTEMPORÂNEA
- FILOSOFIA MEDIEVAL
- FÍSICA
- FMI
- FOLCLORE
- FOME
- FOTOGRAFIA
- GASTRONOMIA
- GEOGRAFIA
- GOLPE DE ESTADO
- GRAFFITI
- GRAFOLOGIA
- HIEROGLIFOS
- HIPERMÍDIA
- HISTÓRIA
- HISTÓRIA DA CIÊNCIA
- HOMEOPATIA
- IDEOLOGIA
- IMAGINÁRIO
- IMPERIALISMO
- INDÚSTRIA CULTURAL
- ISLAMISMO
- JAZZ
- JORNALISMO
- JORNALISMO SINDICAL
- JUDAÍSMO
- LAZER
- LEITURA
- LESBIANISMO
- LIBERDADE
- LINGUÍSTICA
- LITERATURA DE CORDEL
- LITERATURA INFANTIL
- LITERATURA POPULAR
- LOUCURA
- MAIS-VALIA
- MARXISMO
- MEDIAÇÃO DE CONFLITOS
- MEIO AMBIENTE
- MENOR
- MÉTODO PAULO FREIRE
- MITO
- MORAL
- MORTE
- MÚSICA
- MÚSICA SERTANEJA
- NATUREZA
- NAZISMO
- NEGRITUDE
- NEUROSE
- NORDESTE BRASILEIRO
- OLIMPISMO
- PANTANAL
- PARTICIPAÇÃO

Coleção Primeiros Passos
Uma Enciclopédia Crítica

- PARTICIPAÇÃO POLÍTICA
- PATRIMÔNIO CULTURAL IMATERIAL
- PATRIMÔNIO HISTÓRICO
- PEDAGOGIA
- PESSOAS DEFICIENTES
- PODER
- PODER LOCAL
- POLÍTICA
- POLÍTICA SOCIAL
- POLUIÇÃO QUÍMICA
- PÓS-MODERNO
- POSITIVISMO
- PRAGMATISMO
- PSICOLOGIA
- PSICOLOGIA SOCIAL
- PSICOTERAPIA DE FAMÍLIA
- PSIQUIATRIA FORENSE
- PUNK
- QUESTÃO AGRÁRIA
- QUÍMICA
- RACISMO
- REALIDADE
- RECURSOS HUMANOS
- RELAÇÕES INTERNACIONAIS
- REVOLUÇÃO
- ROBÓTICA
- SAUDADE
- SEMIÓTICA
- SERVIÇO SOCIAL
- SOCIOLOGIA
- SUBDESENVOLVIMENTO
- TARÔ
- TAYLORISMO
- TEATRO
- TECNOLOGIA
- TEOLOGIA
- TEOLOGIA FEMINISTA
- TEORIA
- TOXICOMANIA
- TRABALHO
- TRABALHO INFANTIL
- TRADUÇÃO
- TRANSEXUALIDADE
- TROTSKISMO
- TURISMO
- UNIVERSIDADE
- URBANISMO
- VELHICE
- VEREADOR
- VIOLÊNCIA
- VIOLÊNCIA CONTRA A MULHER
- VIOLÊNCIA URBANA
- XADREZ